contents ▶

食べたいときにすぐに作れるのが魅力。
手軽なサイズの圧力鍋で、2人分レシピ、紹介します！ —— 4

圧力鍋の基本プロセス＆お約束 —— 5

チャチャッと作る大好きおかず

- 豚肉と大根の塩煮 —— 6
- 台湾風角煮 —— 8
- スペアリブのカムジャタン —— 10
- 豚肉のブレゼ —— 12
- 鶏レバーの赤ワイン煮 —— 13
- チキンカレー —— 14
- 鶏肉のバスク風煮込み —— 16
- サムゲタン風煮込み —— 18
- 牛すじ煮込み —— 19
- ラムチョップのタジン風 —— 20
- ひいかとフェンネルの煮もの —— 22
- あじの山椒煮 —— 23
- いわしの梅煮 —— 24

もっと野菜が食べたいから

- 筑前煮 —— 26
- カポナータ —— 28
- 新玉ねぎとベーコンのスープ煮 —— 29
- ザワークラウト風 —— 30
- 蒸しとうもろこし —— 31
- 蒸し白菜のねぎ油だれ —— 32
- ふかし里芋のクルミみそ —— 33
- 根菜のポタージュ2種 —— 34
  ごぼうのポタージュ／にんじんのポタージュ
- ポテトコロッケ —— 36
- ポテトサラダ —— 38
- ポテトフライ —— 39

米料理は圧力鍋の得意技

- **玄米を炊く** —— 40
- 玄米朝食セット —— 40

玄米ご飯を使って
- ● 玄米焼きおにぎり＆玄米揚げおにぎり —— 42
- ● 玄米ご飯ビビンバ —— 44
- ● 玄米おはぎ —— 46
- 玄米の中華風炊き込みご飯 —— 48
- 玄米のおかゆ —— 49
- **白米を炊く** —— 50
- 青菜粥 —— 51
- たことしょうがの炊き込みご飯 —— 52
- **雑穀米を炊く** —— 54

雑穀ご飯を使って
- ● 雑穀ご飯のオムライス —— 55

おいしさいろいろの
ストックレシピ

豚肉のシンプル煮 ─ 56

豚肉のシンプル煮で
- 豚肉のにんにくじょうゆ ─ 57
- おしのぎスープ ─ 57
- ほろほろとんかつ ─ 58
- 豚肉のリエット風 ─ 59

鶏肉のシンプル煮 ─ 60

鶏肉のシンプル煮で
- バンバンジー風 ─ 61
- フライドチキン ─ 62
- ねぎラーメン ─ 63

牛すね肉のシンプル煮 ─ 64

牛すね肉のシンプル煮で
- ボリート ─ 65
- 韓国風あえもの ─ 66
- スープご飯 ─ 67

自家製オイルサーディン ─ 68

自家製オイルサーディンで
- オイルサーディンのオードブル ─ 69
- オイルサーディンのサラダ ─ 70
- オイルサーディンのパスタ ─ 71

ボロネーゼソース ─ 72

ボロネーゼソースで
- ペンネ・ボロネーゼ ─ 73
- なすのグラタン ─ 74
- タコライス ─ 75

豆の水煮 ─ 76

豆の水煮で
- ひよこ豆のフムス ─ 77
- 白いんげん豆のサラダ ─ 78
- 白いスープ ─ 78
- 大豆のあえもの2品 ─ 80
  大豆の酢じょうゆあえ／大豆のにんにくラー油あえ
- 大豆のかき揚げ ─ 81

思い立ったときに
いつでもおやつ

- ジンジャープリン ─ 82
- 桃のコンポート ─ 84
- マロンシャンテリー ─ 86
- 黒豆のシロップ漬け コアントロー風味 ─ 88
- あずきアイスクリーム ─ 90
- プルーンの赤ワイン煮 ─ 92
- オレンジのピール ─ 93

いちごシロップ ─ 94

いちごシロップで
- いちごソーダフロート ─ 94

ジンジャーシロップ ─ 95

ジンジャーシロップで
- ジンジャーエール ─ 95

◎計量単位は、1カップ＝200㎖、大さじ1＝15㎖、小さじ1＝5㎖、1合＝180㎖です。

食べたいときにすぐに作れるのが魅力。
手軽なサイズの圧力鍋で、
2人分レシピ、紹介します！

　圧力鍋を使って感じることは、とにかく早いこと！ 早いというのは、「火が通るまで」「やわらかくなるまで」「うまみが出るまで」の3点。野菜に火が通るのが早いので、よけいな水分が中に入ったり、うまみが出てしまったりしない。だからすごくおいしい。肉や魚がやわらかくなるのもすごく早く、かたまり肉やスペアリブがあっという間にとろとろ、ほろほろ。短時間しか火にかけないのに、煮汁にはじっくりと煮たようなうまみがしっかりと出ます。

　これは圧力鍋に限る！　と思った料理は数知れず。あじの山椒煮やいわしの梅煮は本当に骨までやわらか。玄米ご飯はもちもち、豆料理は5分以内の素早さでふっく

ら。じゃが芋は、鍋でゆでたときと驚異的においしさが違います。もっちり仕上がって水っぽくならず、ポテトサラダやコロッケにするとじゃが芋のおいしさが際立ちます。とうもろこしも鍋でゆでるものとはまったく違って、甘く、野菜のうまみを強く感じることができます。また、おやつのオレンジピールは、鍋でやわらかく仕上げるにはかなり大変な作業と時間が必要ですが、圧力鍋を使うとジューシーでとてもよい感じに仕上がります。マロンシャンテリーの栗だって、圧力鍋で煮るとラクに皮がむけてホクホク。そして、煮ものは汁が煮詰まらず、うまみたっぷりのスープに変身しているのもスゴイ！
そこにご飯を入れておじやにしたり、冷や麦を入れてにゅうめんにしたり……と楽しめます。

　そんな早さとおいしさのおかげで、面倒かも……と思っていた料理がすごく手軽に作れるようになりました。骨つき肉の煮込み、豆、玄米、炊き込みご飯……、20分以内でできるなら、今日もう1品作ろうかな、という気分になれます。友人が集まるときも、圧力鍋をフル回転させれば、あっという間に3〜4品の料理ができてしまいます。

　圧力鍋があれば、今まで、あまり上手にできなかった料理、時間がかかるから作らないでいた料理、難しいかもしれないと思って敬遠していた料理……そんな料理が簡単においしく作れるようになります。

　重たくて大きい圧力鍋は、出すのも洗うのも仕舞うのも、ちょっと面倒。そこでこの本で使ったのは3ℓ容量の比較的小ぶりな圧力鍋。2人分でもおいしく、さらに、一番簡単な「加圧したあと自然放置」で作れるレシピを紹介します。何といっても作りやすいのが一番。料理の幅が確実に広がります！

坂田阿希子

圧力鍋の基本プロセス＆お約束

調理量のガイドライン

煮ものなど、ごく一般的な調理は水も含めて鍋の⅔（一番上のライン）以下に。すべての料理について、越えてはいけない上限ラインです。

豆類や乾物のように著しく量の増えるものは、水も含めて鍋の⅓（真ん中のライン）以下にします。

すべての料理について、最低でもここまでは入れなくてはいけない、水量の下限ラインです。

基本のプロセス

1. 材料を入れて水加減したら、ふたをセットしてオモリを設置。

2. はじめは強火にし、圧力を上げていきます。

3. オモリが動きはじめたら、ゆらゆら動く程度に火を弱めます。火加減はごく弱火。

4. 圧力鍋調理は、加圧時間が1分違うだけで、仕上がりも違ってきます。デジタルタイマーをセットして加圧時間を必ず計ります。

5. ふた取っ手カバーについているのが感圧ピン穴。圧力がかかると感圧ピンが上がり、感圧ピン穴から感圧ピンの頭が見えます。圧力がなくなると感圧ピンが下がります。感圧ピンが上がっている間はふたを開けることはできません。

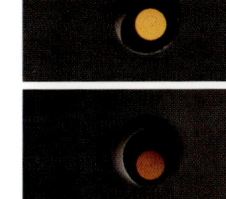

6. 加圧が終わったら火を止めて、自然放置。これが蒸らし時間になります。

7. 急冷する場合は、大きめのボウルなどに水を張り、圧力鍋の底を水につけて1分ほど冷やします。

ほんのひと手間

加圧をはじめたら途中でふたを開けることはできないので、アクが出るものは、前もって煮立ててアクを先にとり、それからふたをセットして加圧します。

圧力鍋調理は水分の蒸発が少ないのが特徴。煮ものなどは、加圧後ふたをとってから、仕上げに少し煮詰めると、よりおいしく仕上がります。

乾燥豆をゆでるときは、蒸し料理用の目皿を逆さにして落としぶた代わりにのせ、豆が中で踊らないようにします。ノズル穴の目詰まりも防げます。

プリンや茶碗蒸しなど、スが入りがちな料理は、器にアルミホイルをかぶせて圧力鍋に入れます。これで、きれいな蒸し上がりになります。

チャチャッと作る大好きおかず

こっくりと味のしみた豚かたまり肉、骨からほろっととれるスペアリブ、とろけるほどやわらかい牛すね肉……。圧力鍋を使えばウソのように簡単に作れます。コトコト煮込まなくてもよいなんて、なんて素敵！

加圧時間 **20** 分 ▶ 自然放置

豚肉と大根の塩煮

豚肉も大根も、びっくりするほどやわらか。
昆布だしで煮て、シンプルにいただきます。好みで、練り辛子を添えても。

材料・2～3人分
豚肩ロースかたまり肉
　（たこ糸で縛ったもの）── 400g
塩 ── 小さじ2
大根 ── ½本
昆布 ── 15cm
水 ── 3カップ
酒 ── ½カップ

1. 豚肉は塩をすり込み、1時間以上おく。出てきた水気を拭きとる。
2. 大根は4cm幅に切って皮をむき、半月に切って面とりをする。
3. 圧力鍋に昆布を敷き、分量の水と酒を入れ、20分ほどおく。
4. 3に豚肉と大根を加え、ふたをセットして強火にかけ、オモリが動いたら弱火にして20分加圧し、火を止めて自然放置する。
5. 感圧ピンが下がったらオモリをとってふたを開け、塩少々（分量外）で味を調える。
6. 昆布は食べやすい大きさに切って器に敷き、豚肉を1～2cm幅に切って大根とともに盛る。

豚肉は塩をすり込んで1時間以上おく。半日～ひと晩おいてもよい。

昆布を敷き、水、酒、豚肉、大根を入れ、この状態でふたをセットする。

ふたを開けるとこの状態。豚肉も大根もやわらかく煮えている。

鍋に残った煮汁がまた美味。
ゆでた稲庭うどんや冷や麦を加え、
さっと煮てにゅうめんに。

ご飯にのせて食べてもおいしい。
さらに煮汁少々を回しかけたり、香菜を添えても。

材料・2〜3人分
豚バラかたまり肉 ── 400g
豚肉の下味
　酒 ── 大さじ4
　しょうゆ ── 大さじ4
　砂糖 ── 大さじ3
　五香粉(ウーシャンフェン) ── 小さじ2
干ししいたけ ── 4枚
水 ── 2カップ
長ねぎ ── 15cm
にんにく ── 2片
しょうが ── 1かけ
サラダ油 ── 大さじ2
八角 ── 1個
ゆで卵 ── 2〜3個
小松菜(ゆでたもの) ── ¼束分

※五香粉……ういきょう、桂皮、花椒、陳皮(みかんの皮を乾燥させたもの)、丁字(クローブ)などの粉末を混ぜ合わせたもの。

豚肉は酒、しょうゆ、砂糖、五香粉で下味をつける。これで台湾風の味わいに。

表面の脂が気になるようなら除き、ゆで卵を加えてひと煮する。

できあがり。卵にもっと味をつけたいときは、このまま煮込むとよい。

加圧時間 **15**分 ▶ 自然放置

台湾風角煮

しょうゆと五香粉の香りが鼻をくすぐる、本格的角煮。
豚肉にしっかりと下味をつけておくのがポイントです。冷めてもおいしいまま！

1. 豚肉は3cm厚さに切る。下味の材料をバットに合わせ、豚肉を入れて30分ほど漬け込む。
2. 干ししいたけは分量の水でもどし、軸をとって4等分に切り、もどし汁は水を足して2カップにしてとっておく。長ねぎは粗みじん切りにし、にんにく、しょうがはみじん切りにする。
3. 圧力鍋にサラダ油を熱し、豚肉を強火で焼きつけ、長ねぎ、にんにく、しょうがを加えてさらに炒める。香りが立ったら豚肉の漬け汁としいたけのもどし汁、もどしたしいたけ、八角を加えて煮立て、アクをとり除く。
4. ふたをセットして強火にかけ、オモリが動いたら弱火にして15分加圧し、火を止めて自然放置する。
5. 感圧ピンが下がったらオモリをとってふたを開け、ゆで卵を加えてひと煮する。
6. 器に盛り、卵は半分に切り、小松菜を添える。

材料・2〜3人分
豚スペアリブ —— 400g
しょうが —— 大1かけ
にんにく —— 大1片
長ねぎ —— ½本
じゃが芋 —— 3個
しょうゆ —— 大さじ1½
コチュジャン —— 大さじ1½
粉唐辛子 —— 大さじ3
酒 —— 70mℓ
砂糖 —— 小さじ1
水 —— 3カップ
みそ —— 大さじ1½
塩 —— 小さじ⅔
白すりごま —— 大さじ2
えごまの葉または青じそ —— 5枚

加圧時間 **20**分 ▶ 自然放置

しょうゆ、コチュジャン、粉唐辛子、酒、砂糖はあらかじめ合わせておく。これが味の要。

長ねぎとじゃが芋を加え、ふたをセットして煮る。

みそ、塩、ごまを煮汁でのばして加える。最後に入れることでみその風味が際立つ。

スペアリブのカムジャタン

カムジャタンは韓国の庶民的料理のひとつで、コチュジャン風味のみそスープで煮込むのが特徴。
圧力鍋で作れば、じゃが芋もスペアリブもほろほろ。

1. スペアリブは水とともに鍋に入れて火にかけ、煮立ったらゆでこぼし、水洗いする。しょうがは薄切りにし、にんにくはつぶす。長ねぎは斜め薄切りにし、じゃが芋は皮をむいて半分に切る。
2. しょうゆ、コチュジャン、粉唐辛子、酒、砂糖は合わせておく。
3. 圧力鍋にスペアリブ、しょうが、にんにく、分量の水を入れて火にかけ、アクが出たらとり除き、2を混ぜる。
4. 長ねぎ、じゃが芋を加え、ふたをセットして強火にかける。オモリが動いたら弱火にして20分加圧し、火を止めて自然放置する。感圧ピンが下がったらオモリをとってふたを開ける。
5. ボウルにみそ、塩、ごまを入れ、4の煮汁適量を加えてのばし、鍋にもどし入れる。えごまの葉を加えてひと煮する。
6. 器に盛り、白すりごま（分量外）をふる。

鍋に残った煮汁は、
豚肉のうまみたっぷり。
ご飯を加えて少し煮て、
韓国のりをちぎって混ぜ、
おじやに。

ふたを開けるとこんな感じ。キャベツの水分でおいしく仕上がる。

1. 豚肉は塩小さじ1、こしょう少々をすり込む。キャベツはざく切りにし、玉ねぎは薄切りにする。にんにくはつぶす。
2. 圧力鍋にオリーブオイル大さじ1を熱し、1の豚肉を入れて全体を焼いてとり出す。
3. 2の鍋をさっと拭いてオリーブオイル大さじ3をひき、半量のキャベツ、玉ねぎ、にんにくを入れ、2の豚肉をのせる。残りのキャベツ、固形スープの素、分量の水を加える。
4. ふたをセットして強火にかけ、オモリが動いたら弱火にして20分加圧し、火を止めて自然放置する。感圧ピンが下がったらオモリをとってふたを開ける。塩、こしょう各少々、白ワインビネガーで味を調える。
5. 豚肉を食べやすい大きさに切ってキャベツとともに器に盛り、フレンチマスタードを添える。

加圧時間 **20**分 ▶ 自然放置

豚肉のブレゼ

豚肉のおいしさをストレートに味わいます。キャベツもたくさん食べられるのがうれしい！

材料・2～3人分
豚肩ロースかたまり肉 ― 400g
キャベツ ― ½個
玉ねぎ ― ½個
にんにく ― 大1片
オリーブオイル ― 大さじ4
固形スープの素 ― ½個
水 ― 1カップ
塩、こしょう ― 各適量
白ワインビネガー ― 小さじ1
フレンチマスタード ― 適量

材料・作りやすい分量
鶏レバー —— 300g
しょうが —— 大1かけ
にんにく —— 大1片
赤ワイン —— 1カップ
しょうゆ —— 大さじ4
塩 —— 小さじ1½
はちみつ —— 大さじ1½
みりん —— 大さじ1
バルサミコ酢 —— 大さじ2

加圧時間 **15**分 ▶ 自然放置

鶏レバーの赤ワイン煮

作った翌日、味がなじんでおいしい。人が集まる日のおつまみに！

1. 鶏レバーは筋や脂肪をとり除き、氷水に5分ほどつけて臭みをとる。さっと湯通ししてザルに上げ、ひと口大に切る。
2. しょうがは薄切りにし、にんにくはつぶす。
3. 圧力鍋に1、2、赤ワイン、しょうゆ、塩、はちみつ、みりん、バルサミコ酢を入れ、ふたをセットして強火にかける。オモリが動いたら弱火にして15分加圧し、火を止めて自然放置する。感圧ピンが下がったらオモリをとってふたを開ける。

保存容器に入れて冷蔵庫にストックしても。1週間ほどもつ。

加圧時間 **15**分 ▶ 自然放置

チキンカレー

**スパイシーなカレーが食べたい！ そんなときにパパッと作れるのが魅力。
残ったら、カレーうどんにしても。**

材料・2〜3人分
鶏骨つきぶつ切り肉 —— 400g
玉ねぎ —— 1½個
しょうが —— 大1かけ
にんにく —— 2片
トマト —— 小2個
オリーブオイル —— 大さじ2
クミンシード —— 小さじ2
カレー粉 —— 大さじ3
カイエンペッパー —— 小さじ½
コリアンダー —— 小さじ½
ターメリック —— 小さじ1
小麦粉 —— 大さじ3
水 —— 3カップ
鶏ガラスープの素 —— 小さじ½
塩 —— 小さじ2
プレーンヨーグルト —— 大さじ2

1. 玉ねぎは薄切りにし、しょうが、にんにくはみじん切りにする。トマトは種をとってざく切りにする。
2. 圧力鍋にオリーブオイルを熱してクミンシードを炒め、香りが立ったら玉ねぎ、しょうが、にんにくを加えてさらに炒める。
3. カレー粉、カイエンペッパー、コリアンダー、ターメリックを加えて香りを出し、小麦粉を加えて炒め合わせる。トマトを加えてつぶすようにしながら炒め、分量の水、鶏ガラスープの素、鶏肉を加える。
4. ふたをセットして強火にかける。オモリが動いたら弱火にして15分加圧し、火を止めて自然放置する。感圧ピンが下がったらオモリをとってふたを開ける。
5. 再び火にかけて5分ほど煮、塩とヨーグルトで味を調える。
6. 器に盛り、ターメリックライスとピクルス（各分量外）を添える。

トマトを加え、つぶすようにしながら炒める。フレッシュなトマトを入れることで、おいしさがアップ。

鶏肉は焼きつけないで生のまま加える。圧力鍋だと短時間で仕上がるので、パサつかない。

プレーンヨーグルトを入れて仕上げる。コクがプラスされてクリーミーな味わいに。

パセリバターライスと
いっしょに食べてもおいしい。
パセリバターライスは、
アツアツのご飯にパセリのみじん切りと
バターを混ぜたもの。

加圧時間 **15**分 ▶ 自然放置

鶏肉のバスク風煮込み

ピーマン、トマト、玉ねぎ、にんにくなどで煮込んだ料理が、バスク風。
野菜の香りたっぷり、やさしい口当たりです。

材料・2〜3人分
鶏もも肉 —— 大1枚(300g)
玉ねぎ —— 1個
ピーマン —— 4個
赤ピーマン —— 1個
にんにく —— 1かけ
オリーブオイル —— 大さじ2
カイエンペッパー —— 少々
パプリカパウダー —— 小さじ½
白ワイン —— 100mℓ
水 —— ¼カップ
鶏ガラスープの素 —— 小さじ½
トマト水煮缶 —— ½缶
塩、こしょう —— 各適量

1. 鶏肉は大きめのひと口大に切り、塩小さじ½をふって軽くもむ。玉ねぎは薄切りにし、ピーマンと赤ピーマンは細切り、にんにくはみじん切りにする。
2. 圧力鍋にオリーブオイルを熱し、鶏肉を焼いていったんとり出す。
3. 2の圧力鍋に玉ねぎとにんにくを入れて炒め、しんなりしたらピーマン、赤ピーマンを加え、カイエンペッパー、パプリカをふってさらに炒める。
4. 白ワイン、水、鶏ガラスープの素を加え、鶏肉をもどし入れ、トマト水煮缶をつぶして加える。
5. ふたをセットして強火にかける。オモリが動いたら弱火にして15分加圧し、火を止めて自然放置する。
6. 感圧ピンが下がったらオモリをとってふたを開ける。塩とこしょうで味を調える。

ピーマンと赤ピーマンは細切り、玉ねぎは薄切り。たっぷり使うのがおいしさの秘密。

焼いた鶏肉をもどし、トマト水煮缶を手でつぶしながら加える。このあと加圧する。

ふたを開けるとこんな感じ。好みで少し煮詰めてもよい。

1. 鶏肉は塩大さじ1をもみ込み、1時間ほどおく、水気が出てきたら拭きとる。
2. 玉ねぎはくし形に切り、長ねぎは小口切りにする。しょうがは皮つきのまま薄切りにし、にんにくはつぶす。さつま芋は皮つきのまま2〜3cm角に切る。
3. もち米はさっと洗う。
4. 圧力鍋に分量の水を入れ、1の鶏肉と2の野菜を入れて火にかけ、アクが出たらとり除く。
5. ぎんなん、松の実、なつめ、クコの実、もち米を加え、ふたをセットして強火にかける。オモリが動いたら弱火にして25分加圧し、火を止めて自然放置する。
6. 感圧ピンが下がったらオモリをとってふたを開ける。
7. 器に盛り、塩とこしょうをふる。

加圧時間 **25** 分 ▶ 自然放置

サムゲタン風煮込み

しょうが、松の実、なつめ、クコの実などを入れた韓国の薬膳料理をアレンジ。滋味豊かです。

材料・2〜3人分
鶏骨つきぶつ切り肉 ── 300g
玉ねぎ ── ½個
長ねぎ ── ½本
しょうが ── 大1かけ
にんにく ── 3片
さつま芋 ── ⅓本
もち米 ── ¼カップ
水 ── 3½カップ
ぎんなん(水煮) ── 10個
松の実 ── 大さじ1
なつめ ── 4個
クコの実 ── 大さじ1
塩、こしょう ── 各適量

鶏肉と野菜を煮て、ぎんなん、松の実、なつめ、クコの実、もち米を加える。このあと加圧する。

材料・2〜3人分
牛すじ肉 —— 400g
大根 —— ½本
水 —— 3カップ
しょうがの薄切り
　—— 大1かけ分
木綿豆腐 —— 1丁
赤唐辛子 —— 1本
酒 —— ½カップ
赤みそ —— 100g
砂糖 —— 大さじ2
長ねぎの小口切り —— ¼本分
七味唐辛子または黒七味
　—— 適量

加圧時間 **20**分 ▶ 自然放置

牛すじ煮込み

圧力鍋を使うと牛すじが本当においしい！　苦手な人も、つい食べたくなります。

牛すじ肉と大根にしょうがと水を加え、圧力鍋で煮る。そのあとで調味。

1. 牛すじ肉は沸騰した湯に入れ、煮立ってアクが出てきたらザルにあけ、水洗いする。食べやすい大きさに切る。
2. 大根は皮をむいて3cm厚さに切り、さらに十字に4等分に切る。
3. 圧力鍋に1、2、しょうが、分量の水を入れ、ふたをセットして強火にかける。オモリが動いたら弱火にして20分加圧し、火を止めて自然放置する。感圧ピンが下がったらオモリをとってふたを開ける。
4. 豆腐を8等分に切って3に加え、赤唐辛子、酒、赤みそ、砂糖を加えて15分ほど煮る。
5. 器に盛り、長ねぎと七味唐辛子をふる。

オリーブオイルでスパイス類を炒める。ここではクミンパウダー、コリアンダー、カレー粉、サフラン。

野菜を炒めたら焼いたラムをのせる。野菜のもつ水分でラムを蒸し煮する。

できあがり。黒オリーブとレモンも加わって、複雑な味のおいしさにまとまる。

クスクスはボウルに入れ、同量の熱湯を加えて混ぜ、ラップをして10分ほどおいてもどす。

加圧時間 **15**分 ▶ 自然放置

ラムチョップのタジン風

スパイスを使ってじっくり煮込んだラムや鶏肉のシチューが、モロッコのタジン風。
少ない水分で蒸気を逃がさないで煮るのが特徴で、圧力鍋でおいしく作れます。

材料・2〜3人分
ラムチョップ ── 300〜400g(6本)
玉ねぎ ── ½個
にんにく ── 2片
なす ── 2本
ズッキーニ ── 1本
レモン ── 2cm厚さの輪切り3枚
オリーブオイル ── 大さじ2
クミンパウダー ── 小さじ½
コリアンダー ── 少々
カレー粉 ── 少々
サフラン ── ひとつまみ
黒オリーブ ── 10〜12粒
水 ── ½カップ
塩、こしょう ── 各適量
香菜 ── 適量
クスクス(もどしたもの) ── 適量

1. ラムは軽く塩、こしょうをふる。玉ねぎは薄切りにし、にんにくはつぶす。なすとズッキーニは輪切りする。レモンは塩小さじ½をふって手でもむ。
2. フライパンにオリーブオイル大さじ1を熱し、ラムを入れて両面焼きつける。
3. 圧力鍋にオリーブオイル大さじ1、クミンパウダー、コリアンダー、カレー粉、サフランを入れて炒め、香りが立ったら玉ねぎ、にんにくを加えて炒める。なすとズッキーニを加えてさらに炒め、全体に油がまわったら2のラムを入れ、黒オリーブ、分量の水、1のレモンを加える。
4. ふたをセットして強火にかける。オモリが動いたら弱火にして15分加圧し、火を止めて自然放置する。
5. 感圧ピンが下がったらオモリをとってふたを開け、塩とこしょうで味を調える。
6. 器に盛り、香菜とクスクスを添える。

加圧時間 **5** 分 ▶ 自然放置

ひいかとフェンネルの煮もの

香りのよいフェンネルといかは、相性抜群。オリーブオイルは、上質のエクストラバージンを。

材料・2〜3人分
ひいか(小いか) —— 200g
フェンネル —— 小1株
にんにく —— 1片
オリーブオイル
　—— 大さじ2
塩 —— 小さじ½
白ワイン —— 大さじ2
水 —— ½カップ
レモン —— 適量

1. フェンネルは、株の部分は斜め薄切りにする。葉は適量とっておく。にんにくはつぶす。
2. 圧力鍋にオリーブオイル大さじ1とにんにくを入れて香りが出るまで炒め、フェンネルの株を敷き、その上にひいかを並べる。塩、白ワイン、分量の水を加え、フェンネルの葉適量を散らす。
3. オリーブオイル大さじ1を回しかけ、ふたをセットして強火にかける。オモリが動いたら弱火にして5分加圧し、火を止めて自然放置する。
4. 感圧ピンが下がったらオモリをとってふたを開ける。
5. 器に盛り、刻んだフェンネルの葉適量をのせ、レモンを添える。

オリーブオイルを回しかけて加圧する。香りよく、まろやかな味に仕上がる。

加圧時間 **15**分 ▶ 自然放置

あじの山椒煮
甘辛しょうゆ味がじんわりしみたあじが美味！　ご飯がすすみます。

実山椒のつくだ煮と調味料、水を入れ、あじを加える。あとはふたをセットして煮るだけ。

材料・2〜3人分
あじ —— 2尾
実山椒のつくだ煮
　　 —— 大さじ2
砂糖 —— 大さじ2
しょうゆ —— 大さじ2
酢 —— 大さじ1½
みりん —— 大さじ½
水 —— 1カップ

1. あじは頭と内臓をとり除き、尾、ぜいご、かたい背びれをとり、筒切りにする。
2. 圧力鍋に実山椒のつくだ煮、砂糖、しょうゆ、酢、みりん、分量の水を入れ、1を加える。
3. ふたをセットして強火にかける。オモリが動いたら弱火にして15分加圧し、火を止めて自然放置する。
4. 感圧ピンが下がったらオモリをとってふたを開ける。好みで少し煮詰める。

加圧時間 **20** 分 ▶ 自然放置

いわしの梅煮

圧力鍋で調理すると、骨ごと食べられるほどやわらかくなるのが魅力。
簡単だから、煮魚を作る機会が増えます。

材料・2〜3人分
いわし ── 4尾
しょうが ── 大1かけ
赤唐辛子 ── 1本
酢 ── ½カップ
酒 ── 大さじ4
しょうゆ ── 大さじ2
砂糖 ── 小さじ1
水 ── 1カップ
梅干し ── 2個

1. いわしは頭と内臓をとり除き、さっと洗って水気を拭く。
2. しょうがは皮つきのまま薄切りにする。赤唐辛子は種をとる。
3. 圧力鍋にしょうがを敷き、いわしを並べ、赤唐辛子、酢、酒、しょうゆ、砂糖、分量の水を加える。
4. 梅干しをのせ、ふたをセットして強火にかける。オモリが動いたら弱火にして20分加圧し、火を止めて自然放置する。
5. 感圧ピンが下がったらオモリをとってふたを開ける。

酢、酒、しょうゆ、砂糖、水を加える。酢を入れるといわしの生臭みがやわらぐ。また、骨までやわらかくする働きもある。

梅干しをのせ、この状態でふたをセットし、20分加圧する。

できあがり。見るからにやわらかく、味がしみ込んでおいしそう。

もっと野菜が食べたいから

和風の煮もの、スープ煮、ホットサラダ、蒸し煮……、野菜を食べたいときにも圧力鍋は大活躍。そして私の一番のお気に入りは、蒸しじゃが芋。ホクホクのじゃが芋で作るコロッケ、ポテトサラダ、ポテトフライともに絶品です！

加圧時間 **10** 分 ▶ 自然放置

筑前煮

作り方のプロセスはいつもと同じ。
加圧して煮れば、たった10分でできあがり。
手間ひまかけずに作れるのが、うれしい！

圧力鍋にごま油を熱して、鶏肉、野菜の順に入れて炒める。炒めることによって素材のうまみが出る。

だし汁と調味料、ゆずを入れ、この状態でふたをして加圧する。ゆずを入れて香りよく仕上げる。

材料・2〜3人分
鶏もも肉 — 小1枚（180g）
鶏肉の下味
　: 酒、しょうゆ — 各少々
ごぼう — ½本
れんこん — ½節
にんじん — ½本
こんにゃく — ½枚
里芋 — 2〜3個
ごま油 — 大さじ1
だし汁 — 2カップ
酒 — 大さじ3
しょうゆ — 大さじ3
砂糖 — 大さじ3
みりん — 大さじ1⅓
ゆず — 厚切り1枚
いんげん（ゆでたもの） — 4〜5本

1. 鶏肉はひと口大に切り、酒、しょうゆをまぶして下味をつける。
2. ごぼうは皮をこそげて乱切りにし、れんこんも乱切りにし、それぞれ水につけてアク抜きをする。にんじんは皮をむいてごぼうと同じくらいの大きさに切る。こんにゃくは熱湯をかけ、スプーンなどでひと口大にちぎる。里芋は皮をむいて塩少々（分量外）でもんでぬめりを出し、洗ってひと口大に切る。
3. 圧力鍋にごま油を熱して1を炒め、2を加えて炒め合わせる。全体に油がまわったら、だし汁、酒、しょうゆ、砂糖、みりん大さじ1、ゆずを加える。
4. ふたをセットして強火にかけ、オモリが動いたら弱火にして10分加圧し、火を止めて自然放置する。
5. 感圧ピンが下がったらオモリをとってふたを開ける。再び火にかけ、みりん大さじ⅓を加えてひと煮立ちさせる。
6. 器に盛り、いんげんを斜め切りにしてのせる。

カポナータ
野菜のもつ水分で蒸し煮するからうまみがギュッと凝縮!

加圧時間 **7**分 ▶ 自然放置

材料・2〜3人分
玉ねぎ —— ½個
にんにく —— 1片
なす —— 3本
ズッキーニ —— 1本
ピーマン —— 2個
パプリカ(赤・黄) —— 各½個
いんげん —— 6〜7本
オリーブオイル、水 —— 各大さじ4
タイム —— 2本
白ワインビネガー —— 小さじ1
塩 —— 小さじ½
松の実(炒ったもの) —— 大さじ2

1. 玉ねぎはくし形切りにし、にんにくはつぶす。なすとズッキーニは1.5〜2cm幅の輪切りにし、ピーマンとパプリカは種をとって乱切りにする。いんげんは食べやすい長さに切る。
2. 圧力鍋にオリーブオイル大さじ2とにんにくを入れて火にかけ、香りが立ったら残りの1を加えて炒める。
3. 全体に油がまわったら、分量の水、オリーブオイル大さじ2、タイムを加える。
4. ふたをセットして強火にかけ、オモリが動いたら弱火にして7分加圧し、火を止めて自然放置する。
5. 感圧ピンが下がったらオモリをとってふたを開ける。白ワインビネガーと塩で味を調え、松の実を加えてひと煮する。

新玉ねぎとベーコンのスープ煮

加圧時間 **7**分 ▶ 自然放置

圧力鍋で煮た玉ねぎは、ベーコンのうまみを吸って、とろとろ。
梅干しの種を入れると、甘いだけでなく、さっぱりとしたニュアンスが加わります。

材料・2〜3人分
新玉ねぎ —— 3個
ベーコン(かたまり) —— 80g
オリーブオイル —— 大さじ1
水 —— 4カップ
固形スープの素 —— ½個
梅干しの種 —— 1個
塩、粗びき黒こしょう —— 各適量

1. ベーコンは2〜3cm幅に切る。
2. 圧力鍋に新玉ねぎとベーコンを入れ、オリーブオイル、分量の水、固形スープの素、梅干しの種、塩少々を加える。
3. ふたをセットして強火にかけ、オモリが動いたら弱火にして7分加圧し、火を止めて自然放置する。
4. 感圧ピンが下がったらオモリをとってふたを開ける。塩で味を調える。仕上げに粗びき黒こしょうをふる。

ザワークラウト風

キャベツをたっぷり食べたいときに。ホットドッグにしても！

加圧時間 **3**分 ▶ 自然放置

材料・2〜3人分
キャベツ —— ½個
オリーブオイル —— 大さじ1
水 —— ¼カップ
塩 —— 小さじ½
マスタードシード —— 大さじ2
フェンネルシード —— 大さじ1
白ワインビネガー —— 小さじ2
ソーセージ —— 4本

1. キャベツは5mmくらいの幅の細切りにする。
2. 圧力鍋にオリーブオイルとキャベツを入れ、上からギュッと押さえる。分量の水を加えてふたをセットして強火にかけ、オモリが動いたら弱火にして3分加圧し、火を止めて自然放置する。
3. 感圧ピンが下がったらオモリをとってふたを開ける。
4. 3に塩、マスタードシード、フェンネルシード、白ワインビネガーを加えて調味し、ソーセージを加えて5〜6分煮る。

蒸しとうもろこし

ただ加圧しただけのとうもろこしは甘くてジューシー。

加圧時間 **1** 分 ▶ 自然放置

材料・2〜3人分
とうもろこし —— 2本
バター —— 50g
塩 —— 適量

1. 圧力鍋に水1½カップ（分量外）と蒸し料理用の目皿を入れ、とうもろこしをのせ、ふたをセットして強火にかけ、オモリが動いたら弱火にして1分加圧し、火を止めて自然放置する。
2. 感圧ピンが下がったらオモリをとってふたを開ける。
3. 小鍋にバターを入れて火にかけ、少し茶色くなってナッツのような香ばしい香りがしてきたら、すぐに火を止める。
4. 器に2を盛り、3をかけ、塩をふる。

蒸し白菜のねぎ油だれ

3分加圧するだけで、やわらかくって
やさしい味わい。ペロッと食べてしまいます。

加圧時間 **3** 分 ▶ 自然放置

材料・2〜3人分
白菜 —— ½個
ねぎ油だれ（作りやすい分量）
　万能ねぎ —— ⅓束
　サラダ油 —— 大さじ4
　にんにくのみじん切り —— 2片分
　干しえびのみじん切り —— 小さじ2
　ナンプラー —— 大さじ4
　酢 —— 大さじ6
　砂糖 —— 大さじ3
　赤唐辛子のみじん切り —— ½本分

1. ねぎ油だれを作る。万能ねぎは小口切りにしてボウルに入れる。
2. フライパンにサラダ油とにんにくを入れて熱し、干しえびを加えてさらに炒め、香りが出たら油ごと1のボウルに加える。
3. 小鍋にナンプラー、酢、砂糖を入れて火にかけ、ひと煮立ちさせて火を止め、冷まし、ボウルに加える。赤唐辛子も加える。
4. 圧力鍋に水1½カップ（分量外）と蒸し料理用の目皿を入れ、白菜を半分に切ってのせる。ふたをセットして強火にかけ、オモリが動いたら弱火にして3分加圧し、火を止めて自然放置する。感圧ピンが下がったらオモリをとってふたを開ける。
5. 器に盛り、ねぎ油だれをかける。

ふかし里芋のクルミみそ

むっちりとした里芋のおいしさをそのままに、
クルミみそを添えた素朴な味のひと皿です。

加圧時間 **5**分 ▶ 自然放置

材料・2〜3人分
里芋 ── 3〜4個
クルミみそ
　クルミ ── 20g
　みそ ── 大さじ2
　みりん ── 大さじ1
　砂糖 ── 小さじ1

1. クルミみそを作る。クルミはから炒りし、すり鉢に入れてすりつぶす。
2. 小鍋にみそ、みりん、砂糖を入れて火にかけ、絶えずかき混ぜながらぽってりとさせる。1を加えて混ぜ合わせる。
3. 圧力鍋に水1½カップ（分量外）と蒸し料理用の目皿を入れ、里芋を皮つきのままよく洗ってのせる。ふたをセットして強火にかけ、オモリが動いたら弱火にして5分加圧し、火を止めて自然放置する。
4. 感圧ピンが下がったらオモリをとってふたを開ける。
5. 器に盛り、クルミみそを添える。

根菜のポタージュ2種

ごぼうやにんじんなど、火を通すのに時間がかかる根菜も、
圧力鍋ならラクラク。やわらかく煮た根菜で、
みんなの好きなクリーミーなポタージュを作ります。

材料・各2〜3人分
ごぼうのポタージュ
- ごぼう —— 1本
- 水 —— 2カップ
- 鶏ガラスープの素 —— 小さじ1
- バター —— 30g
- 牛乳 —— ½カップ
- 塩 —— 小さじ⅔

にんじんのポタージュ
- にんじん —— 2本
- 水 —— 2カップ
- 鶏ガラスープの素 —— 小さじ1
- バター —— 30g
- 牛乳 —— ½カップ
- 塩 —— 小さじ⅔

加圧時間 **7**分 ► 自然放置

圧力鍋にごぼう、水、鶏ガラスープの素、バターを入れ、ふたをセットして加圧する。

ふたを開けたら、ミキサーに移してなめらかにする。

ごぼうのポタージュ

1. ごぼうは皮をこそげ、乱切りにする。
2. 圧力鍋に1、分量の水、鶏ガラスープの素、バターを入れる。
3. ふたをセットして強火にかけ、オモリが動いたら弱火にして7分加圧し、火を止めて自然放置する。感圧ピンが下がったらオモリをとってふたを開ける。
4. 3をミキサーに移して攪拌し、なめらかになったら鍋にもどし、牛乳を加えて温め、塩で味を調える。

加圧時間 **3**分 ► 自然放置

にんじんのポタージュも、ごぼうのポタージュと同じ作り方。かぶ、かぼちゃでも同様に。

にんじんのポタージュ

1. にんじんは皮をむいて乱切りにする。
2. 圧力鍋に1、分量の水、鶏ガラスープの素、バターを入れる。
3. ふたをセットして強火にかけ、オモリが動いたら弱火にして3分加圧し、火を止めて自然放置する。感圧ピンが下がったらオモリをとってふたを開ける。
4. 3をミキサーに移して攪拌し、なめらかになったら鍋にもどし、牛乳を加えて温め、塩で味を調える。

コロッケサンドもおすすめ。食パンに辛子バターをぬり、
キャベツのせん切りとコロッケをのせ、
ソースをさっとかけてサンドする。
ソースは、ウスターソース、トマトケチャップ各大さじ3、
フレンチマスタード小さじ1を混ぜる。

加圧時間 **4**分 ▶ 自然放置

ポテトコロッケ

根菜類と並んで圧力鍋の得意とするのが、芋類。
じゃが芋はたった4分でホクホクです。
アツアツをつぶして定番コロッケを作ります。

材料・8個分
じゃが芋(メークイン) —— 4個
玉ねぎのみじん切り —— ½個分
合いびき肉 —— 150g
塩、こしょう —— 各適量
ナツメグ —— 少々
サラダ油 —— 大さじ1
バター —— 大さじ1
生クリーム —— 大さじ2
小麦粉、溶き卵、パン粉 —— 各適量
揚げ油 —— 適量
キャベツのせん切り —— 適量

1. フライパンにサラダ油を熱して玉ねぎを炒め、合いびき肉を加えてよく炒める。塩小さじ½、こしょう少々、ナツメグで調味する。
2. 圧力鍋に水1½カップ（分量外）と蒸し料理用の目皿を入れ、じゃが芋を皮つきのまま丸ごと入れる。ふたをセットして強火にかけ、オモリが動いたら弱火にして4分加圧し、火を止めて自然放置する。
3. 感圧ピンが下がったらオモリをとってふたを開ける。
4. じゃが芋をとり出して皮をむき、マッシャーでつぶす。軽く塩、こしょうをし、バターと生クリームを加え、熱いうちに1を加えて混ぜ合わせる。
5. バットに広げて粗熱をとり、8等分にして小判形に整え、小麦粉、溶き卵、パン粉の順に衣をつける。
6. 揚げ油を170℃に熱し、5を入れ、きつね色にカラリと揚げる。器に盛り、キャベツを添える。

蒸し料理用の目皿に、じゃが芋をのせる。

ふたを開けたら皮をむき、ボウルに入れてマッシャーでつぶす。

炒めたひき肉と混ぜ合わせ、小判形に整える。俵形にしてもよい。

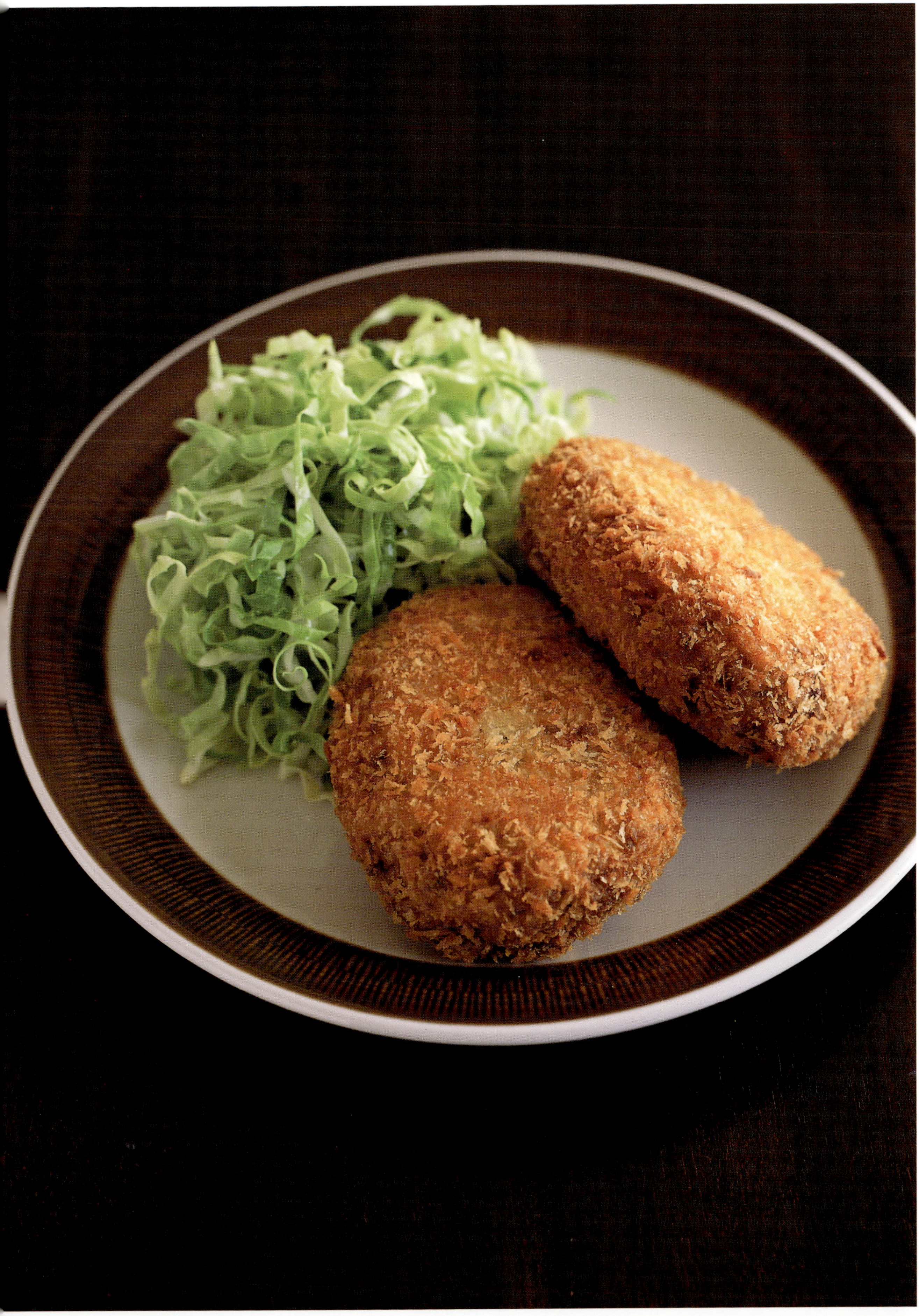

ポテトサラダ

やっぱり自家製がおいしい！ サンドイッチにもおすすめです。

加圧時間 **4** 分 ▶ 自然放置

材料・2〜3人分
じゃが芋（メークイン） — 3個
オリーブオイル — 大さじ1
酢 — 小さじ1
塩、こしょう — 各少々
玉ねぎ — ¼個
きゅうり — 1本
ハム — 2枚
マヨネーズ — 大さじ4

1. 圧力鍋に水1½カップ（分量外）と蒸し料理用の目皿を入れ、じゃが芋を皮つきのまま丸ごと入れる。ふたをセットして強火にかけ、オモリが動いたら弱火にして4分加圧し、火を止めて自然放置する。
2. 感圧ピンが下がったらオモリをとってふたを開ける。じゃが芋をとり出して皮をむいてボウルに入れ、つぶし、オリーブオイル、酢、塩、こしょうで調味する。
3. 玉ねぎは薄切りにして塩水にさらす。きゅうりは薄切りにして塩少々（分量外）でもむ。ハムは1cm角に切る。
4. 玉ねぎときゅうりの水気をしっかりと絞り、ハムとともに2のボウルに加え、マヨネーズを混ぜる。

ポテトフライ

圧力鍋で蒸してから揚げると表面カリッ、中は甘くてホクッ！

加圧時間 **4** 分 ▶ 自然放置

材料・2〜3人分
じゃが芋(メークイン) ── 3個
揚げ油 ── 適量
塩 ── 適量

1. 圧力鍋に水1½カップ（分量外）と蒸し料理用の目皿を入れ、じゃが芋を皮つきのまま丸ごと入れる。ふたをセットして強火にかけ、オモリが動いたら弱火にして4分加圧し、火を止めて自然放置する。
2. 感圧ピンが下がったらオモリをとってふたを開ける。
3. とり出して、食べやすい大きさの乱切りにする。
4. 揚げ油を170℃に熱し、3を入れてきつね色にカラリと揚げ、熱いうちに塩をふる。

米料理は圧力鍋の得意技

圧力鍋を使いはじめて一番変わったことは、玄米ご飯をよく食べるようになったこと。だって、圧力鍋で炊くと本当においしいし、手軽に炊く気になれるんです。また、白米はたったの2分でOKの驚異の早さ！ お腹ペコペコでも待てます。

加圧時間 **20**分 ► 自然放置

玄米を炊く

もっちりとして香りもよく、とにかくおいしい！ 基本のレシピを紹介します。

材料・2〜3人分
玄米 — 2合
水 — 450㎖
塩 — 少々

1. 玄米は洗ってザルに上げ、分量の水とともにボウルに入れ、2時間以上浸水させる。

2. 水ごと圧力鍋に移し、塩を加え、ふたをセットする。強火にかけ、オモリが動いたら弱火にして20分加圧し、火を止めて自然放置する。

3. 感圧ピンが下がったらオモリをとってふたを開ける。全体に混ぜる。

玄米朝食セット

玄米ご飯とみそ汁で基本の献立

材料・2人分
玄米ご飯 — 茶碗2杯分
ほうれん草と油揚げのみそ汁
　ほうれん草 — 1/3束
　油揚げ — 1/2枚
　だし汁 — 2カップ
　みそ — 大さじ2
梅干し、漬けもの — 各適量

1. ほうれん草と油揚げのみそ汁を作る。ほうれん草はざく切りにし、油揚げは油抜きをして水気を絞り、細切りにする。
2. 鍋にだし汁を入れて火にかけ、1を加えてさっと煮、みそを溶き入れる。
3. 玄米ご飯に梅干しをのせ、みそ汁と漬けものを添える。

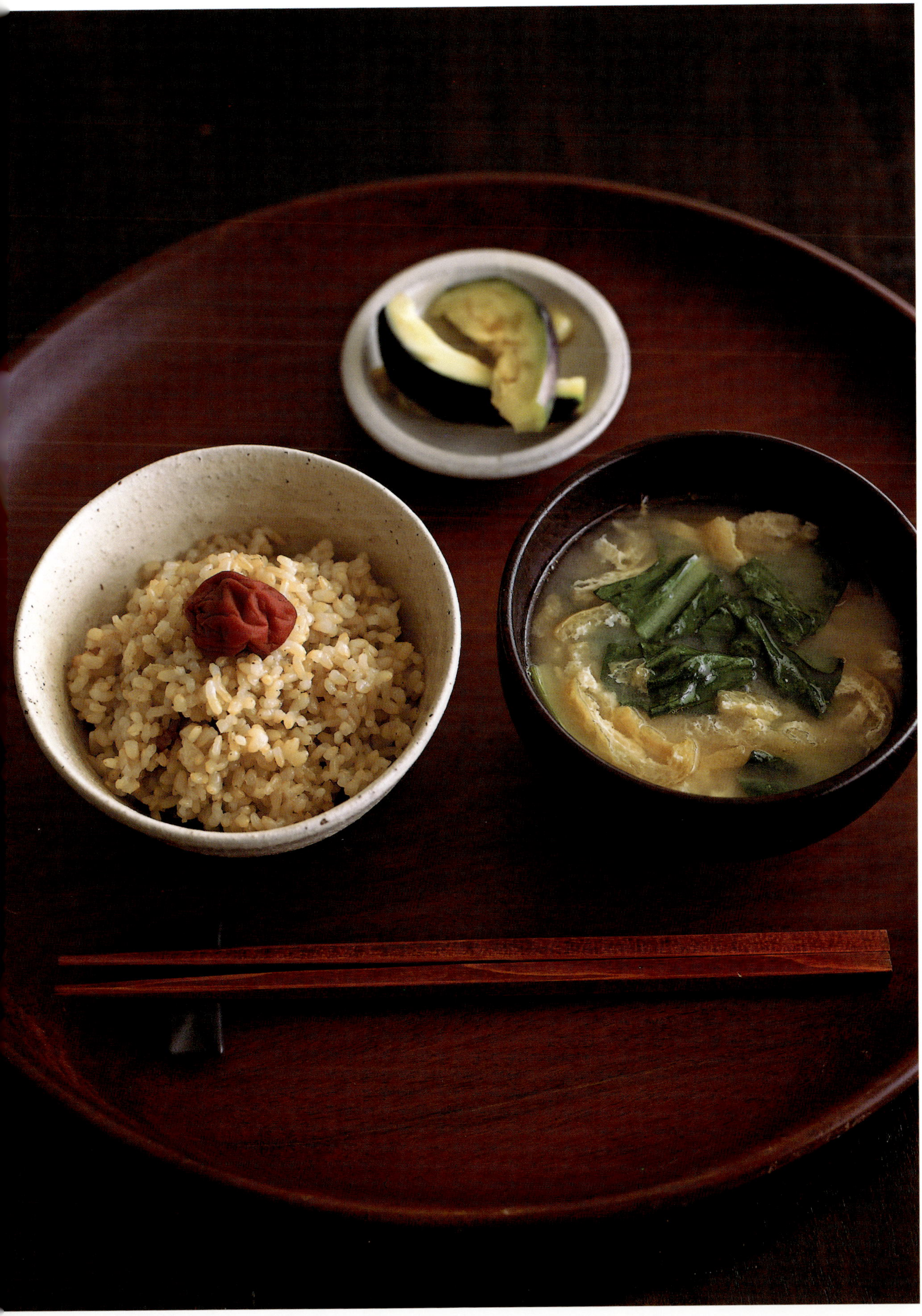

焼きおにぎり、揚げおにぎりとも、
残ったらお茶漬けにしてもおいしい。
青ねぎの小口切りをのせて香りよく。

材料・各4個分

玄米焼きおにぎり
> 玄米ご飯 — 茶碗大2杯分
> 塩 — 少々
> しょうゆ — 適量

玄米揚げおにぎり
> 玄米ご飯 — 茶碗大2杯分
> 塩 — 少々
> 梅干し — 2個
> 高菜漬け(刻んだもの) — 適量
> 揚げ油 — 適量

※玄米の炊き方はp.40参照。

▶ 玄米ご飯を使って

玄米焼きおにぎり&
玄米揚げおにぎり

玄米ご飯は、焼いても揚げてもおいしい！ どちらもカリッと香ばしく、つい手がのびます。

玄米焼きおにぎり

1. 玄米ご飯を4等分にし、手に軽く塩をつけて三角ににぎる。
2. 焼き網を熱し、1をのせて両面こんがりと焼く。焼けてきたらしょうゆをぬり、1〜2度返して香ばしく焼き上げる。

焼けてきたら、刷毛でしょうゆをぬり、香ばしく仕上げる。

玄米揚げおにぎり

1. 玄米ご飯を4等分にし、手に軽く塩をつけて玄米ご飯をのせ、2個は梅干しを入れ、残り2個は高菜漬けを入れ、三角ににぎる。
2. 揚げ油を180℃に熱し、1を入れてカリッと揚げる。

揚げおにぎりにするときは、2個に梅干しを入れる。

残り2個には、刻んだ高菜漬けを入れて三角ににぎる。

カリッとするまで油で揚げる。油はできれば上質のごま油かオリーブオイルで。

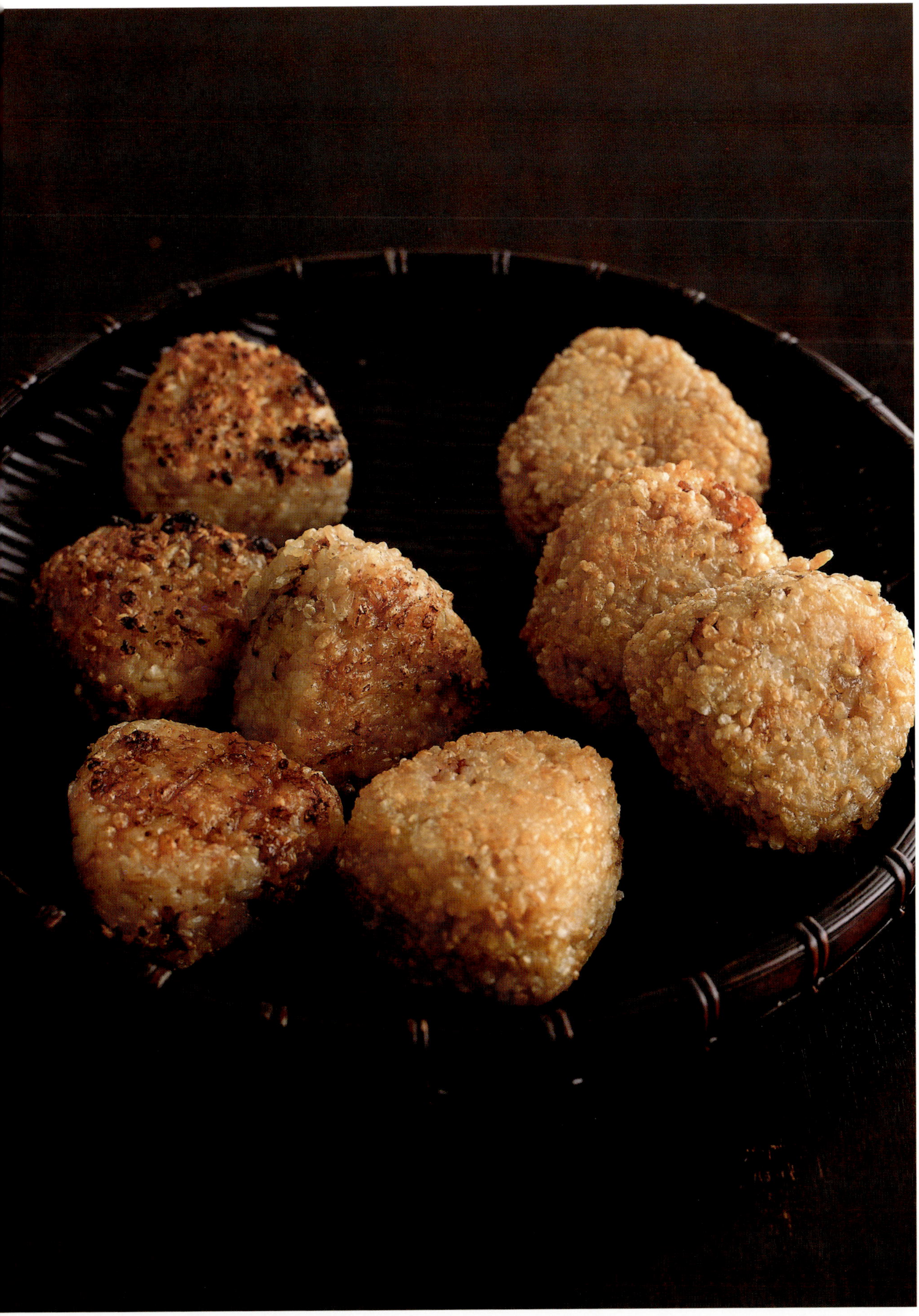

全体によく混ぜて
いろいろな味をひとつにすると、
おいしさの相乗効果に。

豆もやしのナムル
- 豆もやし —— ½袋
- ごま油 —— 大さじ1
- おろしにんにく —— 少々
- 塩 —— 小さじ½
- しょうゆ —— 少々
- 白すりごま —— 小さじ2

きゅうりのナムル
- きゅうり —— 1本
- ごま油 —— 小さじ2
- 酢 —— 小さじ½
- おろしにんにく —— 少々
- 塩 —— 小さじ½
- 白炒りごま —— 小さじ2

材料・2人分
- 牛薄切り肉 —— 150g
- サラダ油 —— 少々
- 牛肉の味つけ
  - 酒 —— 大さじ1
  - しょうゆ —— 大さじ1
  - みりん —— 大さじ½
  - 砂糖 —— 小さじ1
  - おろしにんにく —— 少々
- 白菜キムチ —— 100g
- 玄米ご飯 —— 茶碗2杯分
- コチュジャン —— 適量

※玄米の炊き方は p.40 参照。

▶ 玄米ご飯を使って

玄米ご飯ビビンバ

甘辛味の牛肉、キムチ、ナムルをのせてよく混ぜていただきます。
モチッとした玄米ご飯で作ると、いつもとはまた違ったおいしさです。

1. 牛肉は食べやすい大きさに切り、サラダ油を熱したフライパンで強火でさっと炒める。味つけの材料を合わせていっきに加え、煮汁がなくなるまで炒め合わせる。
2. 白菜キムチを食べやすい大きさに切る。
3. 豆もやしのナムルを作る。豆もやしは水からゆで、ザルに上げて水気をきる。ごま油、おろしにんにく、塩、しょうゆ、白すりごまを加えてあえる。
4. きゅうりのナムルを作る。きゅうりは縦半分に切って斜め薄切りにし、ごま油を熱したフライパンでさっと炒める。ボウルに移し、酢、おろしにんにく、塩、白炒りごまを加えてよく混ぜる。
5. 器に玄米ご飯を盛り、1〜4をのせ、コチュジャンを添える。

牛肉は、煮汁がなくなるまで炒めて、味をしっかりとつける。

ゆでた豆もやしは、ごま油、おろしにんにく、塩、しょうゆ、白すりごまで味つけする。

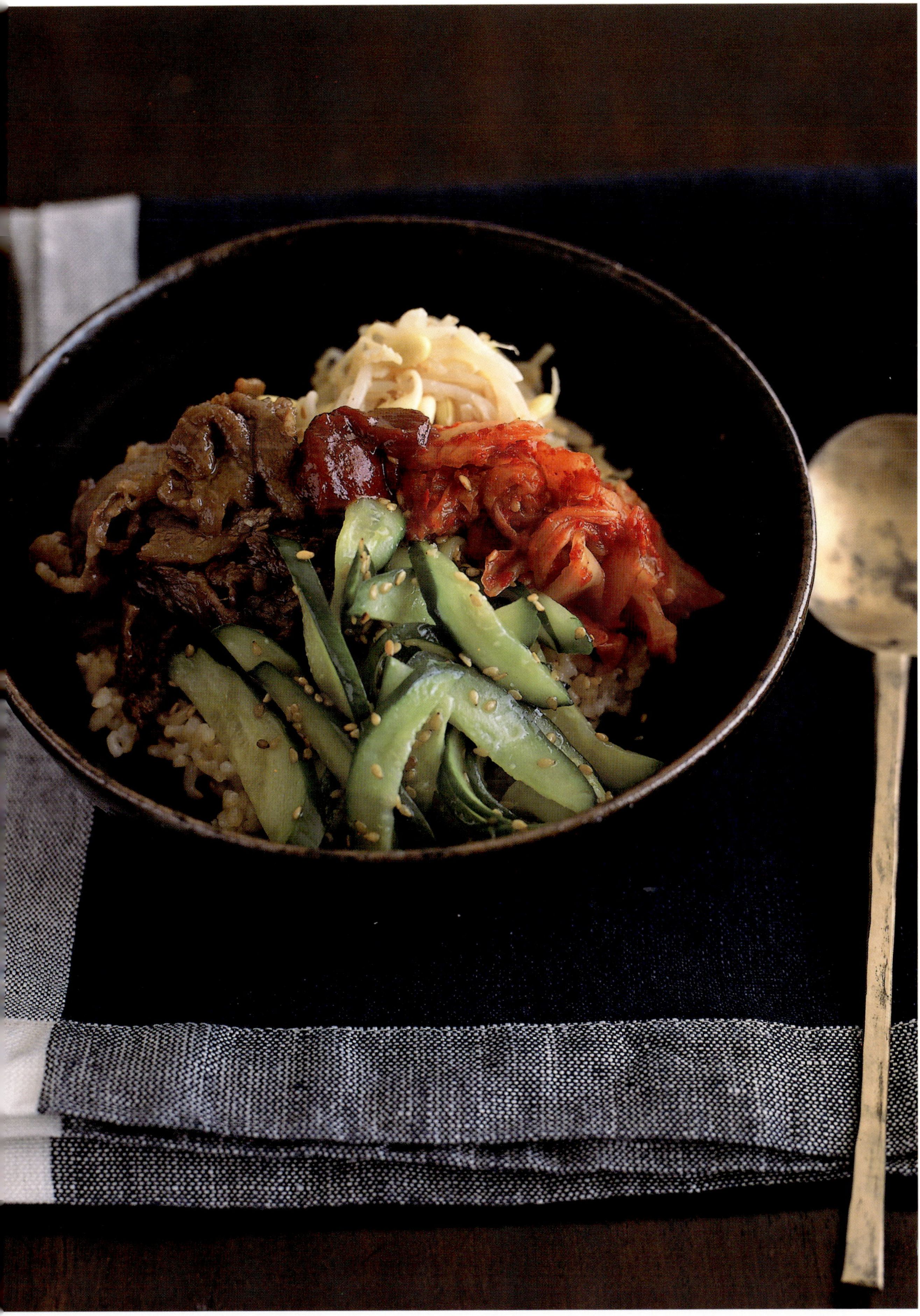

▶ 玄米ご飯を使って
玄米おはぎ

玄米ご飯を半つぶしにして仕上げた、自然派レシピ。
素朴で、ひと味変わったおはぎが楽しめます。
粒あん、ごま衣、どちらも甲乙つけがたい人気です。

材料・作りやすい分量
玄米ご飯 —— 2合分
粒あん —— 適量
ごま衣
　黒炒りごま —— 大さじ4
　砂糖 —— 大さじ2
※玄米の炊き方はp.40参照。
※粒あんの作り方はp.90参照。

1. ごま衣を作る。黒ごまはすり鉢に入れてすり、砂糖を加えてすり混ぜる。
2. 玄米ご飯をボウルに入れて半つぶしにし、水でぬらした手で小さく丸く形作る。
3. 半量は粒あんで包み、半量は1のごま衣をたっぷりとつける。

ボウルやすり鉢に玄米ご飯を入れ、すりこ木などで半つぶしにする。

手を水でぬらし、玄米ご飯を丸く形作る。大きさ、形は、好みで。

粒あんを玄米ご飯のまわりにつけていく。市販の粒あんを使ってもよい。

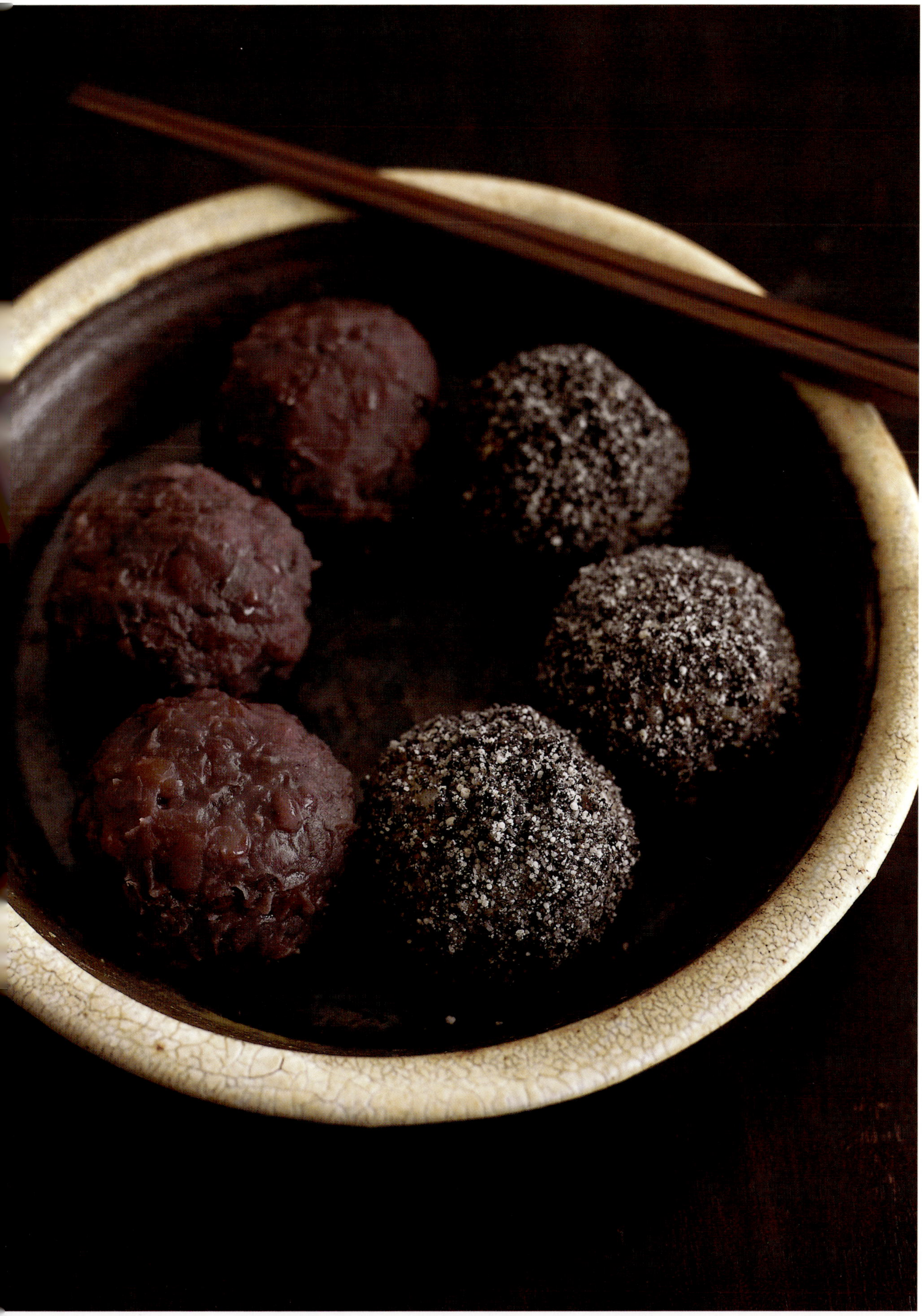

加圧時間 **20**分 ▶ 自然放置

玄米の中華風炊き込みご飯

玄米のモチッとした特性を生かした
とっておき。中華ちまきのような味わいです。

材料・2～3人分
玄米 ── 2合
鶏もも肉 ── 150g
鶏肉の下味
　酒、しょうゆ ── 各少々
長ねぎ ── 1/2本
干しえび(もどしたもの)
　── 大さじ1
干し貝柱(もどしたもの) ── 3個
干ししいたけ(もどしたもの) ── 3枚
ごま油 ── 大さじ2
しょうゆ、酒 ── 各大さじ2
塩 ── 小さじ1/3
しいたけのもどし汁 ── 1カップ
中華スープ
　水 ── 240ml
　中華スープの素 ── 小さじ1/2

1. 玄米は洗ってザルに上げ、たっぷりの水(分量外)とともにボウルに入れて2時間以上浸水させ、水気をきる。
2. 鶏肉はひと口大に切り、酒、しょうゆをもみ込んで下味をつける。
3. 長ねぎ、干しえびはみじん切りにし、干し貝柱はざっとほぐす。干ししいたけは1cm角に切る。
4. フライパンにごま油を熱して2を炒め、3を加えてさらに炒め、バットにとり出す。
5. 圧力鍋に1の玄米を入れ、4を加え、しょうゆ、酒、塩、しいたけのもどし汁、中華スープを加える。
6. ふたをセットして強火にかけ、オモリが動いたら弱火にして20分加圧し、火を止めて自然放置する。感圧ピンが下がったらオモリをとってふたを開け、全体に混ぜる。

加圧時間 **20** 分 ▶ 自然放置

玄米のおかゆ

コトコト煮込んだおいしさと同じ。
体にやさしいレシピです。

材料・2～3人分
玄米 — 1合
水 — 4カップ
塩 — 少々
すりごま塩 — 適量

1. 玄米は洗ってザルに上げる。
2. 圧力鍋に1を入れ、分量の水、塩を加える。
3. ふたをセットして強火にかけ、オモリが動いたら弱火にして20分加圧し、火を止めて自然放置する。感圧ピンが下がったらオモリをとってふたを開ける。
4. 器に盛り、すりごま塩をのせる。

シンプルに塩にぎりにし、ごまをふるだけでおいしい。

加圧時間 **2** 分 ► 自然放置

白米を炊く

とにかく時間がない！ そんなときに重宝するのが圧力鍋。
スピーディーなだけでなく、甘くてモチッとしたおいしいご飯が炊けます。

材料・2〜3人分
米 — 2合
水 — 360㎖

1. 米は洗ってザルに上げる。

2. 圧力鍋に1を入れ、分量の水を加え、ふたをセットする。強火にかけ、オモリが動いたら弱火にして2分加圧し、火を止めて自然放置する。

3. 感圧ピンが下がったらオモリをとってふたを開ける。全体に混ぜる。

加圧時間 **10** 分 ▶ 自然放置

青菜粥

お米本来の甘みと香りが味わえるのが魅力。
すぐできるから、朝食にもおすすめ。

材料・2〜3人分
白米 —— ½合
水 —— 4カップ
小松菜 —— ¼束
塩 —— 適量

1. 米は洗ってザルに上げる。
2. 圧力鍋に米を入れ、分量の水、塩少々を加えてふたをセットする。強火にかけ、オモリが動いたら弱火にして10分加圧し、火を止めて自然放置する。
3. 感圧ピンが下がったらオモリをとってふたを開ける。
4. 小松菜を2cm幅に切って3に加え、2〜3分煮る。塩で味を調える。

加圧時間 **2** 分 ▶ 自然放置

たことしょうがの炊き込みご飯

しょうがの香りが食欲をそそる、人気の定番。
うまみを吸ったご飯、やわらかいたこ、
あっさりとした上品な味わい……、お替わり間違いなし！

材料・2〜3人分
米 ── 2合
ゆでだこの足 ── 150g
たこの下味
　酒 ── 大さじ1
　しょうゆ ── 大さじ1
しょうが ── 大1かけ
だし汁 ── 360㎖
塩 ── 小さじ2/3

1. 米は洗ってザルに上げる。
2. たこは薄切りにし、酒、しょうゆをまぶして下味をつける。
3. しょうがは、半量はせん切りにし、残り半量はさらに細い針しょうがにする。
4. 圧力鍋に米、だし汁、塩を入れ、2を汁ごと加える。せん切りのしょうがを散らしてふたをセットする。強火にかけ、オモリが動いたら弱火にして2分加圧し、火を止めて自然放置する。
5. 感圧ピンが下がったらオモリをとってふたを開け、さっくりと混ぜ合わせる。
6. 器に盛り、針しょうがをのせる。

たこは酒、しょうゆをまぶす。下味をつけて炊くと、うまみが増す。

せん切りのしょうがを全体に散らし、ふたをセットする。しょうがの量は好みで加減。

ふたを開けるとこんな感じ。ご飯もたこも、ふっくらと炊き上がる。

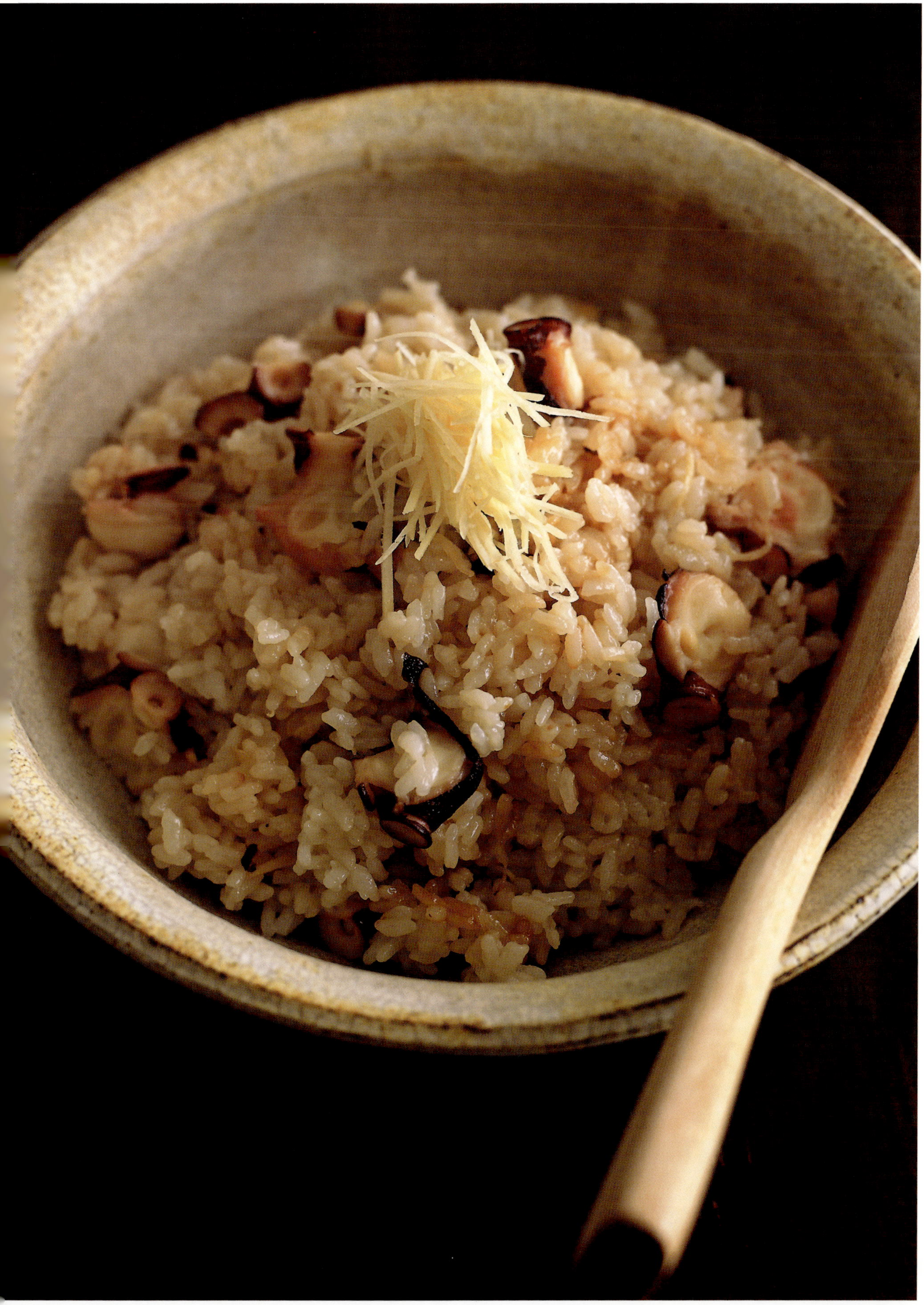

炊き上がったらおひつに移しておくと、冷めてもおいしいまま。

加圧時間 **2** 分 ▶ 自然放置

雑穀米を炊く

白米と同様に炊くだけだから、簡単。雑穀もモチッとして、食べやすくなります。
ここでは市販の雑穀ミックスを使いましたが、押し麦、あわ、きび、黒米など好みのものでOK。

材料・2〜3人分
米 — 2合
雑穀ミックス — 25g
水 — 2カップ

1. 米は洗ってザルに上げる。

2. 圧力鍋に1と雑穀ミックスを入れ、分量の水を加え、ふたをセットする。強火にかけ、オモリが動いたら弱火にして2分加圧し、火を止めて自然放置する。

3. 感圧ピンが下がったらオモリをとってふたを開ける。全体に混ぜる。

▶ 雑穀ご飯を使って

雑穀ご飯のオムライス

雑穀ご飯を飽きずに食べるためのレシピがこちら。
ふんわり卵といっしょに頬張れば、思わず舌鼓！

材料・2人分
雑穀ご飯 — 茶碗大2杯分
ベーコン（かたまり）— 40g
玉ねぎのみじん切り — 1/6個分
マッシュルームの薄切り — 4個分
バター、サラダ油 — 各小さじ1
トマトペースト — 小さじ1
トマトケチャップ — 大さじ3
塩、こしょう — 各少々

オムレツ
　卵 — 4個
　塩 — 小さじ1/2
　牛乳 — 小さじ2
　バター — 大さじ1
ソース
　トマトジュース — 190ml
　チキンスープ
　　（水50mlにチキンスープの素
　　少々を溶いたもの）— 50ml
　バター — 30g
　塩 — 少々

1. ソースを作る。フライパンにトマトジュースとチキンスープを入れて火にかけ、半量になるまで煮詰める。バターを加えてとろみをつけ、塩で味を調える。
2. ベーコンは1cm角に切る。
3. フライパンにバターとサラダ油を熱し、玉ねぎ、マッシュルーム、ベーコンを炒め、トマトペースト、トマトケチャップを加えて炒め合わせ、塩、こしょうをふる。
4. 雑穀ご飯を加えて炒め合わせ、器に盛る。
5. オムレツを作る。卵は割りほぐし、塩と牛乳を混ぜる。フライパンにバターの半量を溶かし、卵液の半量を流し入れて大きくかき混ぜ、オムレツの形に整える。これを2つ作る。
6. 4に5をのせ、1のソースをかける。

おいしさいろいろのストックレシピ

まとめて作ってストックしておけば、時間のないときに便利。今日のごはん何にしよう？ というときや、急な来客のときにも大助かりします。食材を無駄なく食べきるための展開料理も紹介。

加圧時間 **15**分 ▶ 自然放置

豚肉のシンプル煮

圧力鍋で煮ると、驚くほどやわらか。
うまみを逃がさないので、スープも濃厚！

材料・作りやすい分量
豚肩ロースかたまり肉 —— 500g
塩 —— 小さじ2
水 —— 3カップ
しょうがの薄切り（皮つき） —— 小1かけ分
つぶしたにんにく —— 1片分

1．豚肉は半分に切り、塩をまぶして30分ほどおき、水気を拭く。

2．圧力鍋に1を入れ、分量の水、しょうが、にんにくを加える。ふたをセットして強火にかけ、オモリが動いたら弱火にして15分加圧し、火を止めて自然放置する。

3．感圧ピンが下がったらオモリをとってふたを開ける。冷めたら煮汁ごと保存容器に移す。冷蔵庫で3〜4日もつ。

▶ 豚肉のシンプル煮で

豚肉のにんにくじょうゆ

パンチのあるソースで食べる、
薄切り豚肉は最高！ 人が集まるテーブルに、
キーンと冷えたビールとともに。

材料・2〜3人分
シンプル煮の豚肉 —— 適量
にんにくじょうゆ
 にんにくのみじん切り —— 2片分
 ごま油 —— 大さじ3
 しょうゆ —— 大さじ6
 酢 —— 小さじ2
 白炒りごま —— 大さじ1
トマト —— 1個
香菜 —— 適量

1. にんにくじょうゆを作る。フライパンにごま油とにんにくを入れて火にかけ、香りが出て色づいたら、火を止めてボウルに移す。粗熱がとれたら、しょうゆ、酢、白炒りごまを加えて混ぜ合わせる。
2. トマトは半分に切って薄切りにする。香菜はざく切りにする。
3. 豚肉を薄切りにして器に盛り、トマトを並べ、1をかけて香菜を添える。

▶ 豚肉のシンプル煮で

おしのぎスープ

豚肉のうまみたっぷりの煮汁を
スープとしていただきます。

材料・2〜3人分
シンプル煮の煮汁 —— 2〜3カップ
塩 —— 適量
青ねぎの小口切り —— 少々

1. 鍋に煮汁を入れて温め、塩で味を調える。味が濃ければ湯適量（分量外）を足す。
2. 器に注ぎ、青ねぎをふる。

▶ 豚肉のシンプル煮で
ほろほろとんかつ

衣はサクッ、ひと口頬張ればお肉はほろっとやわらか。絶品です。

材料・2人分
シンプル煮の豚肉 —— 2cm厚さ×4枚
塩 —— 少々
小麦粉、溶き卵、パン粉 —— 各適量
揚げ油 —— 適量
ウスターソース、レモン —— 各適量

1. 豚肉は軽く塩をふり、小麦粉、溶き卵、パン粉の順に衣をつける。
2. 揚げ油を180℃に熱し、1を入れ、きつね色にカラリと揚げる。
3. 油をきって器に盛り、ウスターソースをかけ、レモンを添える。

小麦粉をしっかりとつけ、それから溶き卵とパン粉を。これで衣がはがれにくくなる。

▶ 豚肉のシンプル煮で

豚肉のリエット風

ワインやビールのおともにぴったり。バゲットにのせていただきます。

材料・2～3人分
シンプル煮の豚肉 — 100g
シンプル煮の煮汁 — 大さじ2
ラード — 大さじ2
塩 — 小さじ½
粗びき黒こしょう — 適量
タイム — 1枝
バゲットの薄切り — 適量

※ラード……p.56のようにストックしておくと、上面に脂がかたまる。これがラード。

1. 豚肉は適当な大きさに切る。
2. フードプロセッサーに1を入れ、煮汁、ラード、塩、粗びき黒こしょう、枝を除いたタイムを加えて撹拌し、粗めのペースト状にする。
3. 器に盛り、バゲットを添える。

この状態でフードプロセッサーにかける。こしょうは多めに入れた方がおいしい。

加圧時間 **15** 分 ▶ 自然放置

鶏肉のシンプル煮

圧力鍋で煮ると、しっとりジューシー。サラダ、から揚げ……おいしいおかずになります。

材料・作りやすい分量
鶏もも肉 ── 大2枚
塩 ── 小さじ1
水 ── 3カップ
しょうがの薄切り
　（皮つき）── 1かけ分

1．鶏肉は塩をまぶして15分おき、水気を拭く。

2．圧力鍋に1を入れ、分量の水、しょうがを加える。ふたをセットして強火にかけ、オモリが動いたら弱火にして15分加圧し、火を止めて自然放置する。

3．感圧ピンが下がったらオモリをとってふたを開ける。冷めたら煮汁ごと保存容器に移す。冷蔵庫で2〜3日もつ。

▶ 鶏肉のシンプル煮で

バンバンジー風

やわらかい鶏肉とシャキシャキのきゅうり、ピリリとしたたれは、絶妙の組み合わせ。

材料・2〜3人分
シンプル煮の鶏肉 — 1枚
きゅうり — 1本
長ねぎ — ½本
たれ
　白炒りごま — 大さじ1
　花椒(ホワジャオ) — 小さじ2
　サラダ油 — 大さじ2
　粉唐辛子 — 小さじ1
　ごま油 — 小さじ1
　しょうゆ — 大さじ1
　酢 — 大さじ2
ピーナッツ(砕いたもの)
　　— 適量
香菜 — 適量

※花椒……完熟の中国山椒の実を粒のまま乾燥させたもの。香り、辛みともに強いのが特徴。

1. 鶏肉は手で大きめにさく。きゅうりはたたいて食べやすい大きさに切る。長ねぎは斜め薄切りにする。
2. たれを作る。すり鉢に白炒りごまを入れてすり、花椒を加えてすり混ぜる。サラダ油をフライパンで熱し、アツアツをすり鉢に加え、粉唐辛子、ごま油、しょうゆ、酢を加えて混ぜ合わせる。
3. 1をたれとピーナッツであえて器に盛り、香菜を添える。

鶏肉は手で大きめにさく。やわらかいのでほろっとさける。

▶ 鶏肉のシンプル煮で
フライドチキン
揚げてもしっとりしているのはあらかじめ圧力鍋で煮ているから！

材料・2〜3人分
シンプル煮の鶏肉 ── 2枚
にんにくのすりおろし ── 1片分
レモン汁 ── ½個分
ナンプラー ── 大さじ1
ココナッツミルク ── ½カップ
上新粉 ── 適量
揚げ油 ── 適量

1. 鶏肉は大きめのひと口大に切る。
2. バットににんにく、レモン汁、ナンプラーを合わせ、1を加えて5分ほどおき、ココナッツミルクをからめてさらに少しおく。
3. 鶏肉の汁気をきり、上新粉を全体にまぶす。
4. 揚げ油を180℃に熱し、3を入れてきつね色にカラリと揚げる。

鶏肉は、にんにく、レモン汁、ナンプラー、ココナッツミルクで下味をつける。

▶ 鶏肉のシンプル煮で

ねぎラーメン

おいしい煮汁を活用。具は少なめにしてうまみたっぷりのスープを楽しみます。

材料・2人分
シンプル煮の煮汁 —— 2½カップ
中華生麺 —— 2玉
水 —— 1カップ
塩 —— 少々
ザーサイ（味つき）、
　白髪ねぎ —— 各適量
ラー油 —— 少々

1. 中華生麺はゆで、ザルに上げてさっと洗い、水気をきる。
2. 煮汁は一度漉して鍋に入れ、分量の水を加えて火にかけ、ひと煮立ちさせる。塩で味を調える。
3. ザーサイは細切りにして白髪ねぎと合わせ、ラー油であえる。
4. 器に麺を盛り、アツアツのスープを張り、3をのせる。

煮汁はペーパータオルを敷いた万能漉し器で漉す。これがラーメンスープになる。

加圧時間 **15** 分 ▶ 自然放置

牛すね肉のシンプル煮

たった15分でOKの、クイック調理。
かたまり肉は圧力鍋に限ります。

材料・作りやすい分量
牛すね肉 —— 500g
塩 —— 小さじ2
水 —— 3カップ
つぶしたにんにく —— 2片分
セロリの葉 —— 1〜2本

1. 牛肉は塩をまぶして30分ほどおき、水気を拭く。圧力鍋に入れ、分量の水、にんにく、セロリの葉を加える。ふたをセットして強火にかけ、オモリが動いたら弱火にして15分加圧し、火を止めて自然放置する。

2. 感圧ピンが下がったらオモリをとってふたを開ける。セロリを除き、冷めたら煮汁ごと保存容器に移す。冷蔵庫で3〜4日もつ。

▶ 牛すね肉のシンプル煮で
ボリート

牛肉のおいしさをストレートに楽しむ、北イタリア料理をアレンジ。

1. バジルソースを作る。バジルの葉、アンチョビー、クルミ、塩少々をフードプロセッサーに入れ、ピュレ状になるまで攪拌する。オリーブオイルを加えてさらに攪拌する。塩少々で味を調える。
2. 牛すね肉は1〜2cm厚さに切る。
3. 器に2を盛り、1のソースを添える。

オリーブオイルを加えてバジルソースを仕上げる。オリーブオイルは香りのよいエクストラバージンを。

牛すね肉は、肉本来のおいしさを堪能するために、厚めに切る。

材料・2〜3人分
シンプル煮の牛すね肉
　　— 適量
バジルソース
　バジルの葉 — 40g
　アンチョビー — 30g
　クルミ（炒ったもの）
　　— 30g
　オリーブオイル
　　— 大さじ4
　塩 — 適量

► 牛すね肉のシンプル煮で
韓国風あえもの
野菜といっしょに甘酢じょうゆであえて、酒の肴や箸休めに。

材料・2〜3人分
シンプル煮の牛すね肉
　　— 1cm厚さ2枚
きゅうり — 1本
大根 — 6cm
にんじん — ⅓本
スナップえんどう — ½パック
ごま油 — 適量
甘酢じょうゆ
　砂糖 — 大さじ2
　酢 — 大さじ2
　塩 — 小さじ½
　しょうゆ — 小さじ1

1. 牛すね肉は1cm厚さに切る。きゅうりは縦半分に切って斜め薄切りにし、大根は拍子木切りにする。にんじんは細切りにする。きゅうり、大根、にんじんはそれぞれ軽く塩（分量外）をふり、水気が出たら軽く絞る。
2. スナップえんどうはさっとゆでて半分にさく。
3. フライパンにごま油小さじ2を熱し、きゅうりを入れてさっと炒め、ボウルに入れる。大根、にんじんもそれぞれごま油小さじ2でさっと炒め、ボウルに加える。牛肉、スナップえんどうも加える。
4. 甘酢じょうゆの材料を混ぜ合わせ、3を加えてあえる。

牛肉は1cm厚さに切り、それを1cm幅に切る。このくらいが野菜とのバランスがよい。

▶ 牛すね肉のシンプル煮で
スープご飯
スープがストックしてあれば食べたいときに食べたい分だけチャチャッと！

材料・2人分
シンプル煮の牛すね肉
　　── 1cm薄切り1枚
シンプル煮の煮汁 ── 1カップ
水 ── 1カップ
塩 ── 少々
ご飯 ── 茶碗2杯分
万能ねぎの小口切り ── 適量
粗びき黒こしょう ── 適量

1. 牛すね肉は細切りにする。
2. 煮汁はペーパータオルを敷いた万能漉し器で漉し、鍋に入れる。分量の水を加えてひと煮立ちさせ、塩で味を調える。
3. ご飯はさっと洗ってザルに上げ、2に加えてひと煮する。
4. 器に盛り、1と万能ねぎをのせ、粗びき黒こしょうをふる。

1. いわしは頭を切り落として内臓をとり、さっと洗って水気を拭く。バットに入れ、水1カップ（分量外）と塩を加え、冷蔵庫で2時間ほどおく。

2. いわしの水気をペーパータオルでしっかりと拭き、圧力鍋に並べ入れる。にんにく、ローズマリー、レモンを加え、オリーブオイル大さじ2を回しかけ、分量の水を注ぎ入れる。ふたをセットして強火にかけ、オモリが動いたら弱火にして20分加圧し、火を止めて自然放置する。

3. 感圧ピンが下がったらオモリをとってふたを開ける。保存容器に移し、残りのオリーブオイルを注ぎ入れ、ひと晩おいてなじませる。冷蔵庫で10日ほどもつ。

加圧時間 **20**分 ▶ 自然放置

自家製オイルサーディン

新鮮ないわしで作る、手作りならではのおいしさ。
オードブル、サラダ、パスタ……、飽きずにいただけます。

材料・作りやすい分量
いわし ── 10尾
塩 ── 20g
つぶしたにんにく ── 2片分
ローズマリー ── 2本
レモンの輪切り ── １/２個分
オリーブオイル ── 約250mℓ
水 ── 1カップ

▶ 自家製オイルサーディンで

オイルサーディンのオードブル
まずは、そのままの味わいを堪能。玉ねぎたっぷりがおいしい！

材料・2人分
自家製オイルサーディン —— 4尾
紫玉ねぎ —— ½個
レモンの半月切り —— 適量

1. 紫玉ねぎは薄切りにし、冷水に放してシャキッとさせ、水気をきる。
2. 器にオイルサーディンを盛り、1をのせ、レモンを添える。

材料・2〜3人分
自家製オイルサーディン —— 3尾
ベビーリーフ、ルッコラ —— 各1袋
クレソン —— 1束
トレビス —— 適量
ディル、セルフィーユ —— 各適量
ビネグレットソース
　エシャロットのみじん切り
　　—— ½個分
　フレンチマスタード —— 小さじ1
　赤ワインビネガー —— 小さじ2
　塩 —— 小さじ½
　こしょう —— 少々
　オリーブオイル —— 大さじ2
クルミのざく切り —— 大さじ2

▶ 自家製オイルサーディンで
オイルサーディンのサラダ
香りのある葉野菜やハーブとの相性は二重丸。
クルミの食感がアクセントです。

1. オイルサーディンは大きめにさく。
2. ベビーリーフとルッコラは洗って水気をきる。クレソンはかたい軸は除き、トレビスは食べやすい大きさに切り、洗って水気をきる。ディルとセルフィーユはちぎる。
3. ビネグレットソースを作る。ボウルにエシャロット、フレンチマスタード、赤ワインビネガー、塩、こしょうを入れてよく混ぜ、オリーブオイルを少しずつ加えて混ぜ合わせる。
4. 1、2、クルミを合わせ、3であえる。

オイルサーディン、葉野菜、クルミをビネグレットソースであえる。手であえると味がよくなじむ。

▶ 自家製オイルサーディンで
オイルサーディンのパスタ

にんにく、ケッパー、松の実……、
オイルサーディンと取り合わせてとっておきのひと皿に。

材料・2人分
自家製オイルサーディン —— 3尾
スパゲッティ
　またはリングイーネ —— 160g
オリーブオイル —— 大さじ2
にんにくのみじん切り —— 1片分
赤唐辛子 —— 1本
ケッパーのみじん切り —— 大さじ1
レーズン —— 小さじ2
塩、こしょう —— 各適量
しょうゆ —— 小さじ1
みょうがの小口切り —— 1個分
松の実(炒ったもの) —— 小さじ2
イタリアンパセリのみじん切り
　—— 適量

1. オイルサーディンは大きめにほぐす。
2. 鍋にたっぷりの湯を沸かし、塩適量（分量外）を加え、パスタをゆではじめる。
3. フライパンにオリーブオイルとにんにくを入れてゆっくりと炒め、香りが立ったらオイルサーディンと赤唐辛子を加えて炒め合わせ、ケッパー、レーズンを加える。
4. 塩小さじ½、こしょう少々、しょうゆで調味し、みょうがと松の実を混ぜる。
5. 4に2のゆで汁をお玉1杯程度加えて煮詰め、ゆでたてのパスタを加えて手早くあえる。塩とこしょうで味を調え、イタリアンパセリを混ぜる。

オイルサーディンを加えたら、木ベラでほぐすようにして炒める。

材料・作りやすい分量
牛ひき肉 — 500g
玉ねぎ — ½個
セロリ — 1本
にんじん — ¼個
にんにく — 2片
オリーブオイル — 大さじ4
赤ワイン — ½カップ
トマト水煮缶 — 1缶
塩 — 小さじ½
こしょう — 少々

1. 玉ねぎ、セロリ、にんじん、にんにくはみじん切りにする。圧力鍋にオリーブオイルを熱して炒め、しんなりしたら牛ひき肉を加え、ほぐしながら炒める。

2. 赤ワインを加えて煮詰め、トマト水煮缶を万能漉し器で漉して加える。塩、こしょうをふる。

3. ふたをセットして強火にかけ、オモリが動いたら弱火にして10分加圧し、火を止めて自然放置する。感圧ピンが下がったらオモリをとってふたを開ける。冷めたら保存容器に移す。冷蔵庫で4〜5日もつ。

加圧時間 **10**分 ▶ 自然放置

ボロネーゼソース

おなじみのミートソースが、10分煮るだけで完成！ 肉のうまみがギュッと詰まったソースです。

▶ ボロネーゼソースで

ペンネ・ボロネーゼ

ペンネをゆでるときは圧力鍋で！ 短時間でモチッと仕上がります。

材料・2人分
ボロネーゼソース —— 1½カップ
ペンネ —— 160g
パルメザン粉チーズ —— 大さじ2
イタリアンパセリのみじん切り
　　—— 適量

1. 圧力鍋に湯を沸かし、塩適量（分量外）を加え、ペンネを入れる。ふたをセットして強火にかけ、オモリが動いたら弱火にして3分加圧し、火を止めて自然放置する。感圧ピンが下がったらオモリをとってふたを開ける。
2. フライパンにボロネーゼソース、1のゆで汁大さじ4を入れて煮立て、汁気をきった1のパスタを加える。しばらく煮立て、パルメザン粉チーズをふってからめる。
3. 器に盛り、イタリアンパセリ、パルメザン粉チーズ（分量外）をふる。

ペンネは塩を加えた湯に入れ、ふたをセットして加圧する。いつものゆで方よりスピーディー。

▶ ボロネーゼソースで
なすのグラタン
相性のよいなすを使ったオーブン焼き。
チーズを2種入れるのが、おいしさの秘密。

材料・2～3人分
ボロネーゼソース ── 2カップ
なす ── 6本
オリーブオイル ── 大さじ4
塩、こしょう ── 各少々
リコッタチーズ ── 100g
パルメザン粉チーズ ── 適量

1. なすはへたをとって縦4等分の薄切りにする。オリーブオイルを熱したフライパンに並べ入れ、しんなりするまで両面焼き、塩、こしょうをふる。
2. グラタン皿にボロネーゼソースを薄く敷き、1を数枚並べ、リコッタチーズを適量ずつスプーンでのせ、パルメザン粉チーズをふる。これを数回繰り返し、層にする。
3. 一番上にボロネーゼソースとパルメザンチーズをたっぷりとかけ、200℃のオーブンで15～20分焼く。

ボロネーゼソース、なす、チーズの順に重ねていく。

材料・2人分
ボロネーゼソース ── 1カップ
サルサソース
　玉ねぎ ── ¼個
　トマト ── 1個
　香菜 ── 1束
　塩 ── 小さじ½
　オリーブオイル ── 大さじ2
　タバスコ ── 適量
　レモン汁 ── 小さじ1
レタス ── 2枚
ご飯 ── 茶碗大2杯分

▶ ボロネーゼソースで

タコライス

サルサソースと組み合わせて夏の日のランチに。

1. サルサソースを作る。玉ねぎはみじん切りにし、トマトは1cm角に切る。香菜はみじん切りにする。ボウルに合わせ、塩、オリーブオイル、タバスコ、レモン汁を加えて混ぜる。
2. レタスはせん切りにする。
3. 器にご飯を盛り、レタスをのせ、ボロネーゼソースとサルサソースをかける。

材料・作りやすい分量
白いんげん豆の水煮
:白いんげん豆 —— 200g
:水 —— 2カップ
:塩 —— 少々
大豆の水煮
:大豆 —— 200g
:水 —— 2カップ
:塩 —— 少々
ひよこ豆の水煮
:ひよこ豆 —— 200g
:水 —— 2カップ
:塩 —— 少々

豆の水煮

少ない水分、短時間の加圧で、ふっくら仕上がる！
ストックしておくと、和洋中いろいろな料理に使い回せます。

白いんげん豆の水煮
加圧時間 **3** 分 ► 自然放置

大豆の水煮
加圧時間 **3** 分 ► 自然放置

ひよこ豆の水煮
加圧時間 **5** 分 ► 自然放置

1．豆はボウルに入れ、分量の水に浸し、ひと晩おく。

2．圧力鍋に浸した水ごと移し、塩を加える。ふたをセットして強火にかけ、オモリが動いたら弱火にして加圧し（ひよこ豆は5分、白いんげん豆と大豆は3分）、火を止めて自然放置する。

3．感圧ピンが下がったらオモリをとってふたを開ける。冷めたらゆで汁ごと保存容器に移す。冷蔵庫で2〜3日もつ。

▶ 豆の水煮で

ひよこ豆のフムス

フムスは中東のポピュラーな豆料理。
なめらかな舌触りとともに豆の風味と味を存分に味わいます。

材料・2〜3人分
ひよこ豆の水煮 ── 100g
牛乳 ── 大さじ1
白練りごま ── 小さじ2
レモン汁 ── 小さじ1
塩 ── 小さじ½
オリーブオイル ── 大さじ1
粗びき黒こしょう ── 少々
クミンパウダー ── 小さじ½
黒オリーブ（あれば）── 1個

1. フードプロセッサーに黒オリーブ以外の材料すべてを入れ、攪拌してペースト状にする。
2. 器に盛り、黒オリーブをのせ、クミンパウダー（分量外）をふる。

フードプロセッサーで攪拌して、なめらかなペースト状にする。

> 豆の水煮で

白いんげん豆のサラダ

セロリと香菜の香りで、クセになる味わい。
ほかの豆で作ってもおいしい。

材料・2〜3人分
白いんげん豆の水煮 — 150g
玉ねぎ — ¼個
セロリ — ½本
香菜 — 1束
オリーブオイル — 大さじ3
塩 — 小さじ½
こしょう — 少々
白ワインビネガー — 小さじ1

1. 玉ねぎ、セロリはみじん切りにし、香菜は粗みじん切りにする。
2. ボウルに白いんげん豆と1を入れ、オリーブオイル、塩、こしょう、白ワインビネガーの順に加えて混ぜる。

> 豆の水煮で

白いスープ

白い豆と白い野菜をとり合わせたあったかスープ。
ホッとなごみます。

材料・2〜3人分
白いんげん豆の水煮 — 150g
ベーコン(かたまり) — 50g
玉ねぎ — ½個
セロリ — ½本
じゃが芋 — 2個
オリーブオイル — 大さじ2
水 — 3カップ
固形スープの素 — ½個
塩 — 小さじ½
こしょう — 少々

1. ベーコンは1cm角に切る。玉ねぎとセロリは5〜6mm角に切り、じゃが芋は2cm角に切る。
2. 鍋にオリーブオイルを熱し、ベーコン、玉ねぎ、セロリを入れて炒める。じゃが芋を加えて水½カップを注ぎ入れ、ふたをして2分ほど蒸し煮する。
3. ふたをとり、白いんげん豆、水2½カップ、固形スープの素を加え、さらに5〜6分煮る。塩、こしょうで味を調える。

野菜を蒸し煮したら、白いんげん豆を加える。白いんげん豆はすでにやわらかいので、じっくり煮る必要はない。

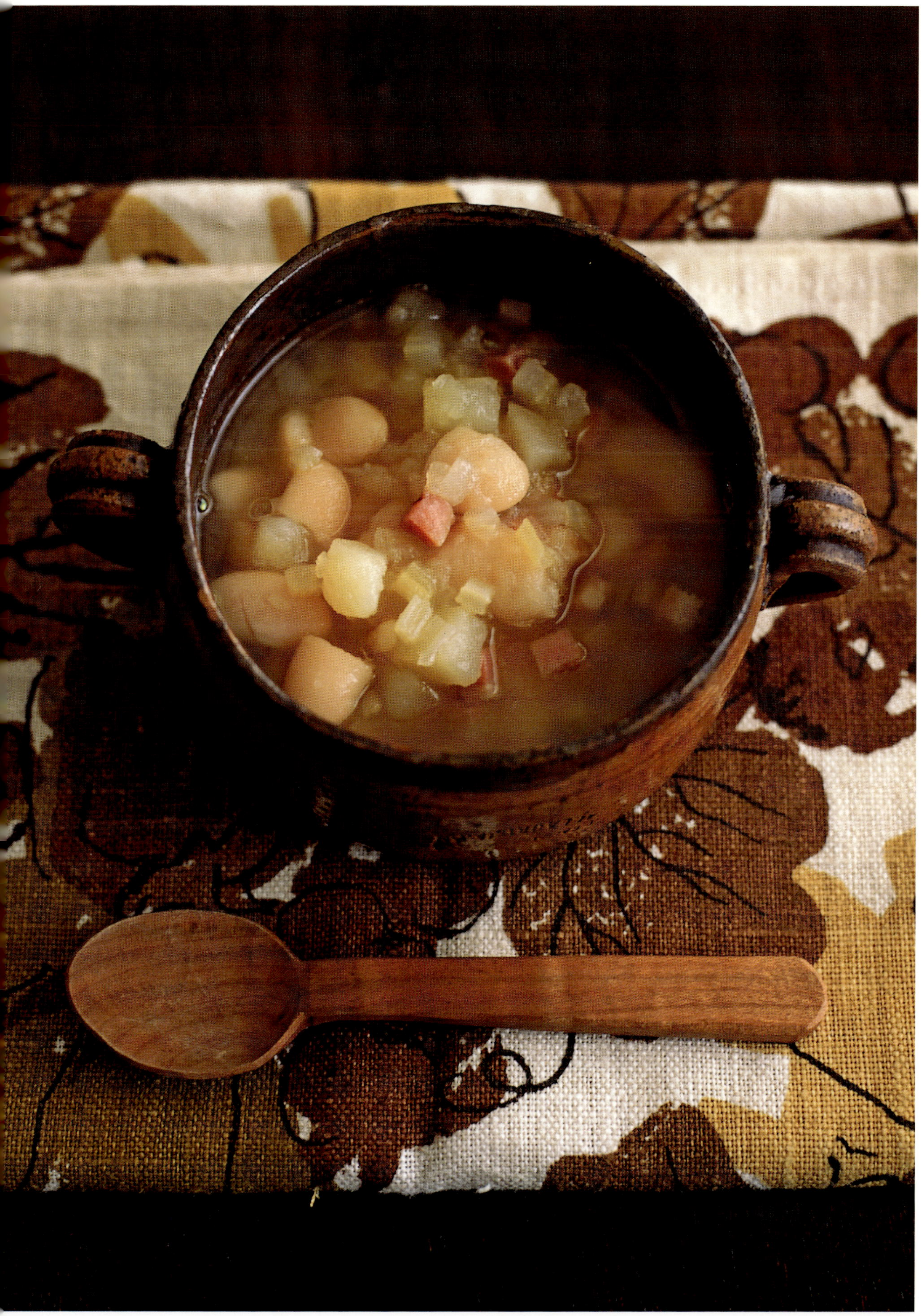

▶ 豆の水煮で

大豆のあえもの2品

どちらも作りおきOK。もう1品欲しいときの助っ人役に。

材料・作りやすい分量

大豆の酢じょうゆあえ
- 大豆の水煮 ── 100g
- 酢 ── 大さじ3
- しょうゆ ── 大さじ3
- 青じそのみじん切り ── 2枚分

大豆のにんにくラー油あえ
- 大豆の水煮 ── 100g
- にんにくのみじん切り ── 1片分
- しょうゆ ── 大さじ2
- ラー油 ── 小さじ2

大豆の酢じょうゆあえ（左）
1. すべての材料を合わせ、1時間以上おいて味をなじませる。

大豆のにんにくラー油あえ（右）
1. すべての材料を混ぜ合わせる。

▶ 豆の水煮で

大豆のかき揚げ

油で揚げるとホックリ感が倍増。
焼きのりの代わりに、桜えびやじゃこを加えても。

材料・2～3人分
大豆の水煮 — 100g
小麦粉 — 少々
焼きのり — 1枚
衣
　溶き卵 — ½個
　冷水 — 1カップ
　小麦粉 — 1カップ
揚げ油 — 適量
塩 — 適量

1. 大豆は水気をしっかりときり、軽く塩をして小麦粉少々をまぶす。焼きのりはちぎる。
2. 衣を作る。溶き卵と冷水を混ぜ合わせ、小麦粉を加えて軽く混ぜる。
3. ボウルに1を入れ、衣を加えて軽く混ぜる。
4. 揚げ油を170℃に熱し、3をスプーンですくって静かに落とし入れ、カラリと揚げる。塩を添える。

スプーンですくって油の中に入れていく。最初はあまりいじらず、かたまってきたら返すとよい。

思い立ったときにいつでもおやつ

おやつ作りは大好き！ ここでは煮る、蒸す、ゆでるといった、圧力鍋の得意技を生かしたレシピを紹介。フルーツや豆など、素材のおいしさをストレートに味わう、シンプルなものをラインナップ。

加圧時間 **3**分 ▶ 急冷

ジンジャープリン

しょうがの香りが身上の、あっさりタイプ。
できたてでも、冷蔵庫で冷やしても、どちらでも。

1. しょうがは皮つきのまま薄切りにする。
2. 鍋に1、牛乳、グラニュー糖を入れて火にかけ、沸騰直前まで温めて火を止める。ふたをして10分ほどおき、しょうがの香りを移す。
3. ボウルに卵白を入れてよく溶きほぐし、2を少しずつ加えながら泡立て器で混ぜ、目の細かいザルで漉す。しょうがはとっておく。
4. 耐熱の器に入れ、アルミホイルをかぶせてきっちりとふたをする。
5. 圧力鍋の一番下の線まで水（分量外）を入れ、蒸し料理用の目皿を入れ、4をのせる。ふたをセットして強火にかけ、オモリが動いたら弱火にして3分加圧し、火を止めて急冷する。
6. 感圧ピンが下がったらオモリをとってふたを開け、プリンをとり出し、3でとっておいたしょうがをのせる。

※急冷……大きめのボウルに水を張り、圧力鍋の底をつけて1分ほど冷やす。

材料・直径7cm×高さ4.5cmの器4個分
牛乳 —— 1½カップ
しょうが —— 大1かけ
グラニュー糖 —— 75g
卵白 —— 約2個分（70g）

しょうがは薄切りにし、牛乳、グラニュー糖で煮て香りを移す。皮つきのままの方が香りが強い。

溶いた卵白に、しょうが風味の牛乳を加えて混ぜ合わせる。卵白しか使わないので、白いプリンに仕上がる。

ひとつずつアルミホイルをかぶせる。これでスが入りにくく、きれいに仕上がる。

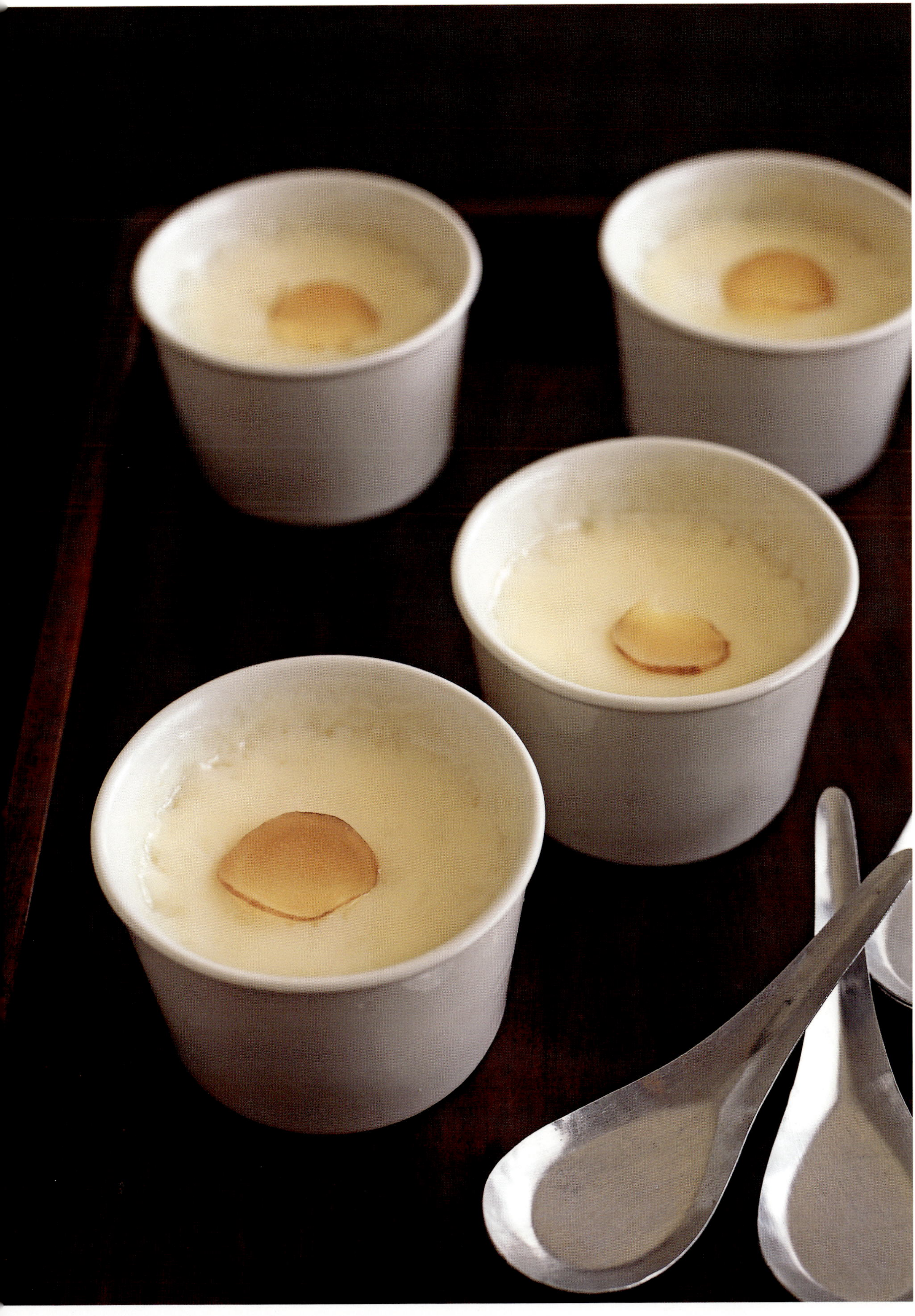

加圧時間 **2**分 ► 急冷

桃のコンポート

芳しい旬の時期にぜひ作りたい、ツルツルお肌のコンポート。
シロップごと、よく冷やしていただきます。

材料・2人分
桃 ── 2個
レモン汁 ── 少々
水 ── 250mℓ
グラニュー糖 ── 200g
白ワイン ── ¼カップ

1. 鍋に湯を入れて沸騰直前まで温め、桃を20秒ほど入れ、冷水につける。手で皮をむき、レモン汁をふる。
2. 圧力鍋に分量の水、グラニュー糖、白ワインを入れて火にかけ、グラニュー糖を溶かす。
3. 桃を加え、水でぬらしてかたく絞ったさらしをのせる。
4. ふたをセットして強火にかけ、オモリが動いたら弱火にして2分加圧し、火を止めて急冷する。
5. 感圧ピンが下がったらオモリをとってふたを開け、シロップごと別の容器に移す。粗熱がとれたら冷蔵庫で冷やす。
6. 丸ごと器に盛り、シロップをかける。

急冷……大きめのボウルに水を張り、圧力鍋の底をつけて1分ほど冷やす。

桃は20秒ほど湯に入れて冷水につけると、皮をつまむだけでツルンときれいにむける。

水、グラニュー糖、白ワインを入れて火にかける。これがシロップになる。

水でぬらしてかたく絞ったさらしをのせて加圧する。これが落としぶた代わりになる。

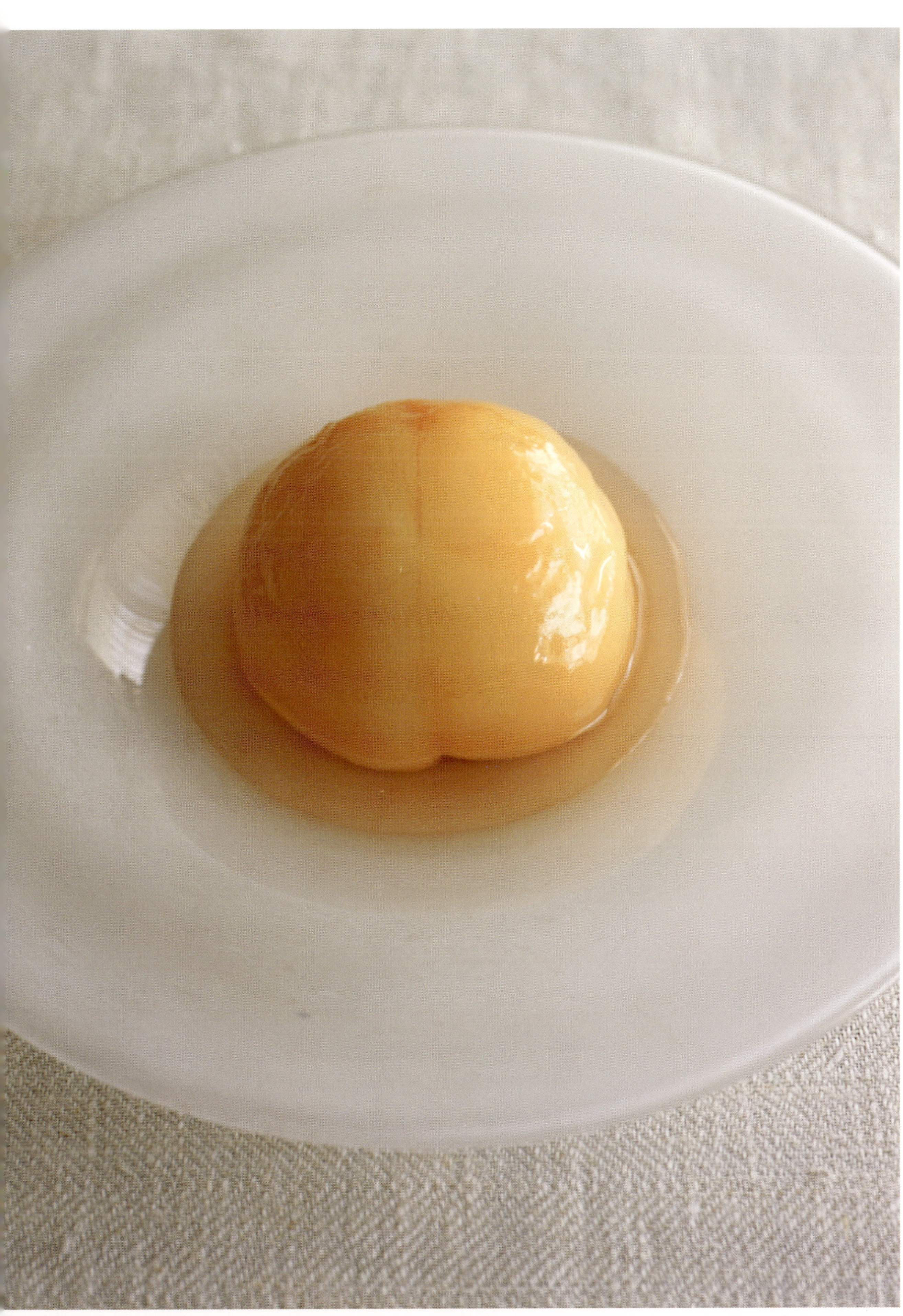

栗はひたひたの水とともに圧力鍋に入れ、加圧してゆでる。

裏漉しした栗にきび砂糖とバターを加えてコクと風味をプラス。このあと牛乳を入れてなめらかにする。

生クリームを混ぜてできあがり。このまま食べてもよい。

加圧時間 **6** 分 ▶ 自然放置

マロンシャンテリー

秋にぜひ作りたい、ちょっと贅沢なデザート。圧力鍋なら栗の下ごしらえも簡単！
天然栗100%、自然の甘さと風味が楽しめます。

材料・作りやすい分量
栗（鬼皮つき）—— 1kg
きび砂糖 —— 150g
バター —— 50g
牛乳 —— ½カップ
ブランデー —— 小さじ1
生クリーム —— 1½カップ

1. 栗は洗って水に30分ほどつけ、栗の頭に包丁で十文字の切り込みを入れる。
2. 圧力鍋に1を入れ、水をひたひたに加える。ふたをセットして強火にかけ、オモリが動いたら弱火にして6分加圧し、火を止めて自然放置する。感圧ピンが下がったらオモリをとってふたを開ける。
3. 2の栗の鬼皮と渋皮をむき、裏漉しする。飾り用に少量残し、残りは鍋に入れ、きび砂糖とバターを加えて火にかけ、牛乳を加えてぽったりするくらいのかたさに調整する。ブランデーを加えて香りをつける。
4. 3をボウルに移し、生クリーム1カップを混ぜる。
5. 生クリーム½カップはゆるめに泡立てる。
6. 器に4の栗を盛り、5を添え、3でとっておいた栗の裏漉しをのせる。

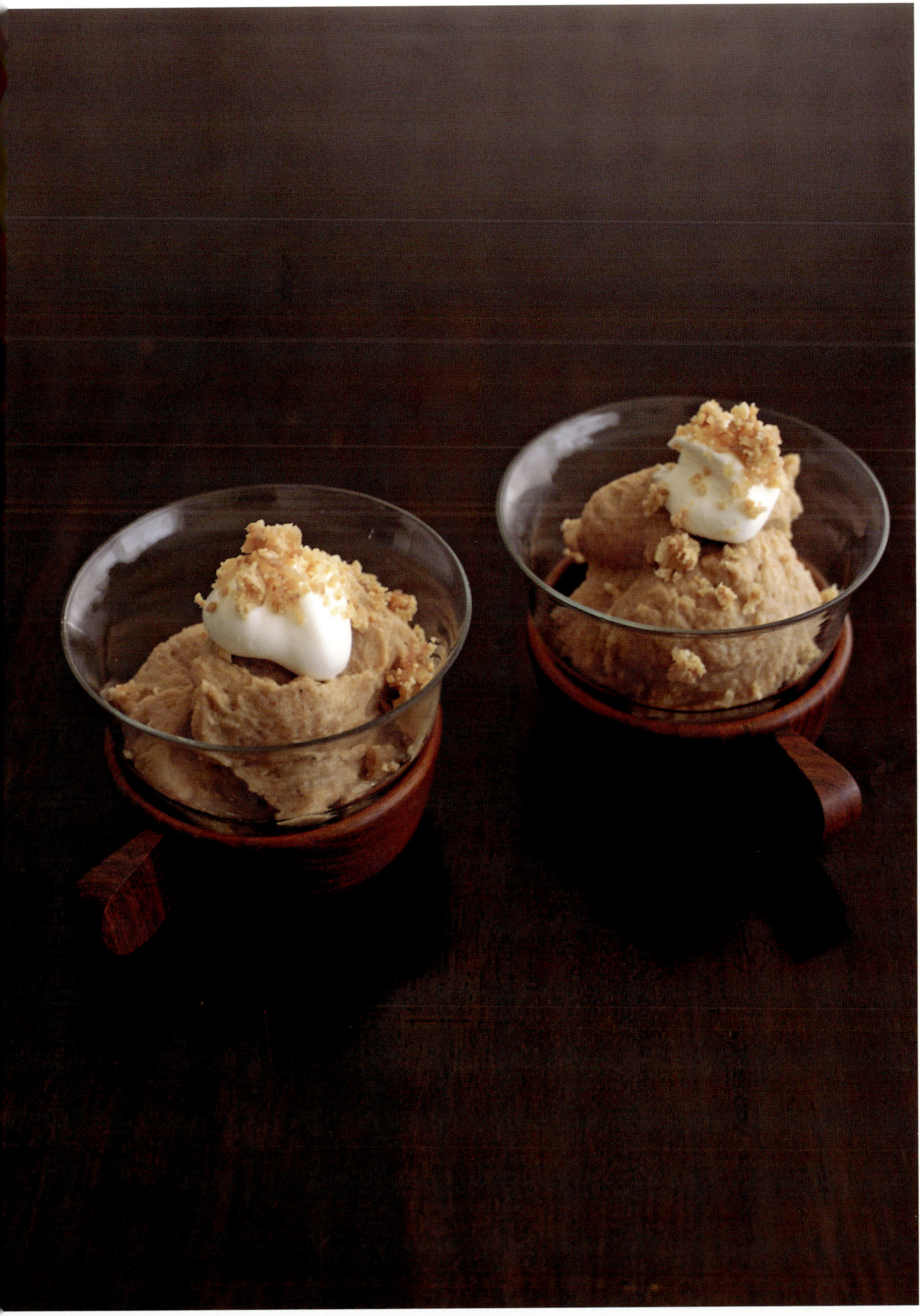

加圧時間 **5** 分 ▶ 自然放置

黒豆のシロップ漬け
コアントロー風味

圧力鍋で炊いた黒豆は、ふっくらピカピカ。フルーツと組み合わせてデザートに仕立てます。
コアントローの代わりに、ブランデーや好みのリキュールを使っても。

材料・作りやすい分量
黒豆 —— 150g
水 —— 450㎖
シロップ
　水 —— 1カップ
　黒豆の煮汁 —— ½カップ
　グラニュー糖 —— 100g
いちじく —— 2～3個
コアントロー —— 小さじ2

1. 黒豆はボウルに入れ、分量の水に浸し、2時間ほどおく。
2. 圧力鍋に浸した水ごと移し、蒸し料理用の目皿を裏返しにして落としぶたをする。ふたをセットして強火にかけ、オモリが動いたら弱火にして5分加圧し、火を止めて自然放置する。感圧ピンが下がったらオモリをとってふたを開ける。
3. シロップを作る。鍋に分量の水、2の煮汁、グラニュー糖を入れ、火にかけてグラニュー糖を溶かす。
4. 2の黒豆をザルにあけて汁気をしっかりときり、シロップに加え、味がなじむまでひと晩おく。
5. いちじくは皮をむいて食べやすい大きさに切る。
6. 4の黒豆のシロップ煮の汁気をきり、いちじくを合わせ、コアントロー、シロップ煮の汁少々を加えてあえる。

黒豆は圧力鍋で5分加圧して、ふっくらと炊き上げる。

水、黒豆の煮汁、グラニュー糖を合わせて火にかけ、溶かしてシロップにする。

黒豆の煮汁をしっかりときり、シロップに漬ける。たっぷり作って冷蔵庫に入れておいてもよい。

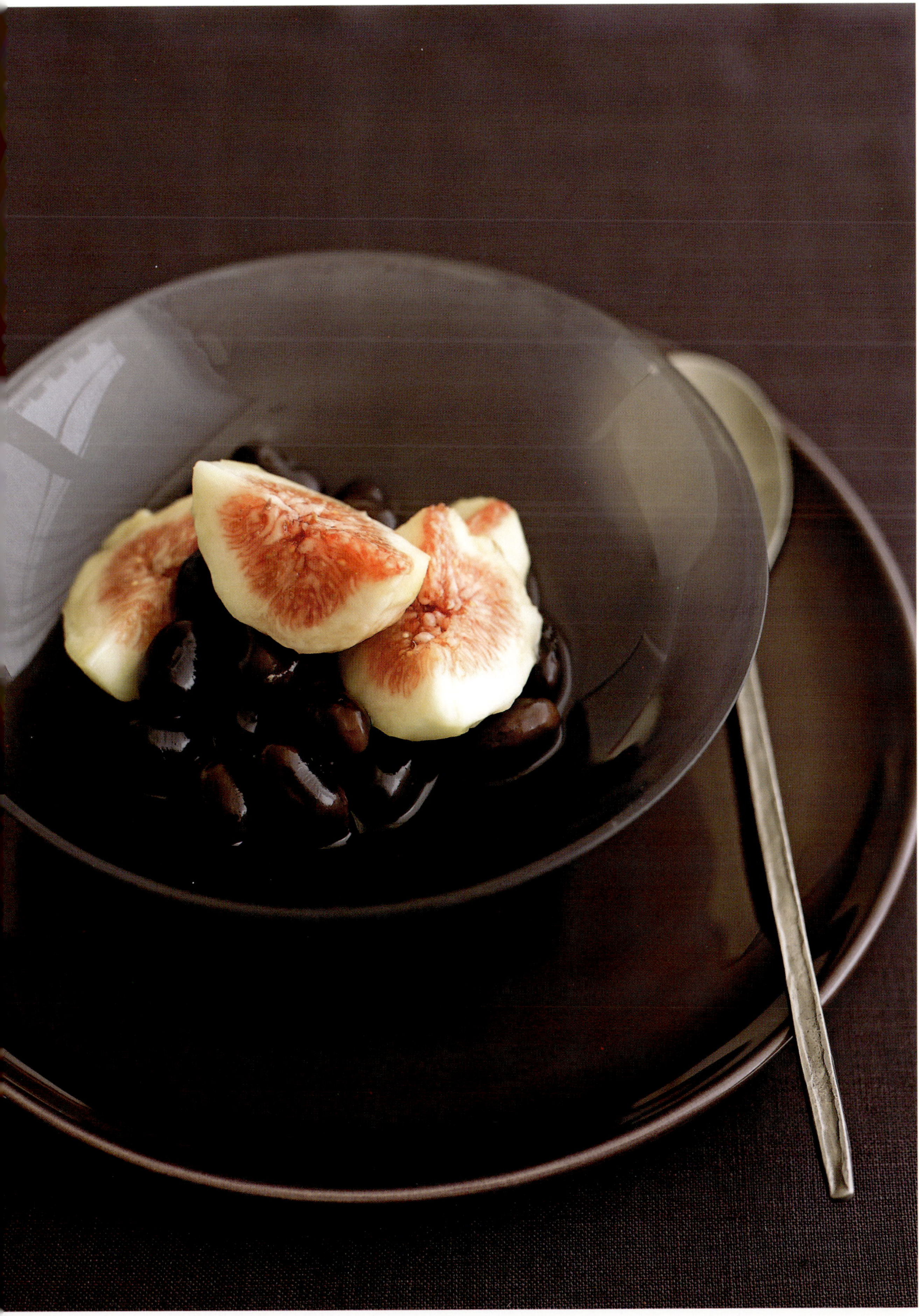

蒸し料理用の目皿を裏返しにして落としぶたにし、ふたをセット。

鍋に移してグラニュー糖を加え、木ベラで混ぜたときに鍋底が見える程度になるまで練る。

練乳と生クリームを同量ずつ加える。凍らせると、味も食感も、ちょうどよいバランスに。

加圧時間 **6** 分 ▶ 自然放置

あずきアイスクリーム

圧力鍋でゆであずきを作り、ちょっぴり懐かしい味のあずきアイスを作ります。
自家製だから、砂糖の量を加減できるのも素敵です。

材料・作りやすい分量
粒あん ── （約600g分）
　あずき ── 300g
　水 ── 4カップ
　グラニュー糖 ── 250g
練乳 ── ½カップ
生クリーム ── ½カップ

1. 粒あんを作る。あずきは洗ってゴミが浮かんだらとり除き、ザルにあける。たっぷりの湯で一度ゆでこぼし、さっと水洗いして水気をきる。
2. 圧力鍋に1のあずきを入れ、分量の水を加え、蒸し料理用の目皿を裏返しにして落としぶたをする。ふたをセットして強火にかけ、オモリが動いたら弱火にして6分加圧し、火を止めて自然放置する。
3. 感圧ピンが下がったらオモリをとってふたを開け、さらしを敷いたザルにあけ、しっかりと水気を絞る。
4. 3のあずきを鍋に入れ、グラニュー糖を加え、ぽってりとするまで練り上げる。バットに移して冷ます。ここで使うのは、このうち250g（残りはp.46のおはぎなどに使うとよい）。
5. ボウルに粒あん250gを入れ、練乳と生クリームを加えて混ぜる。バットに移し、冷凍庫で凍らせる。途中2～3回とり出してかき混ぜる。

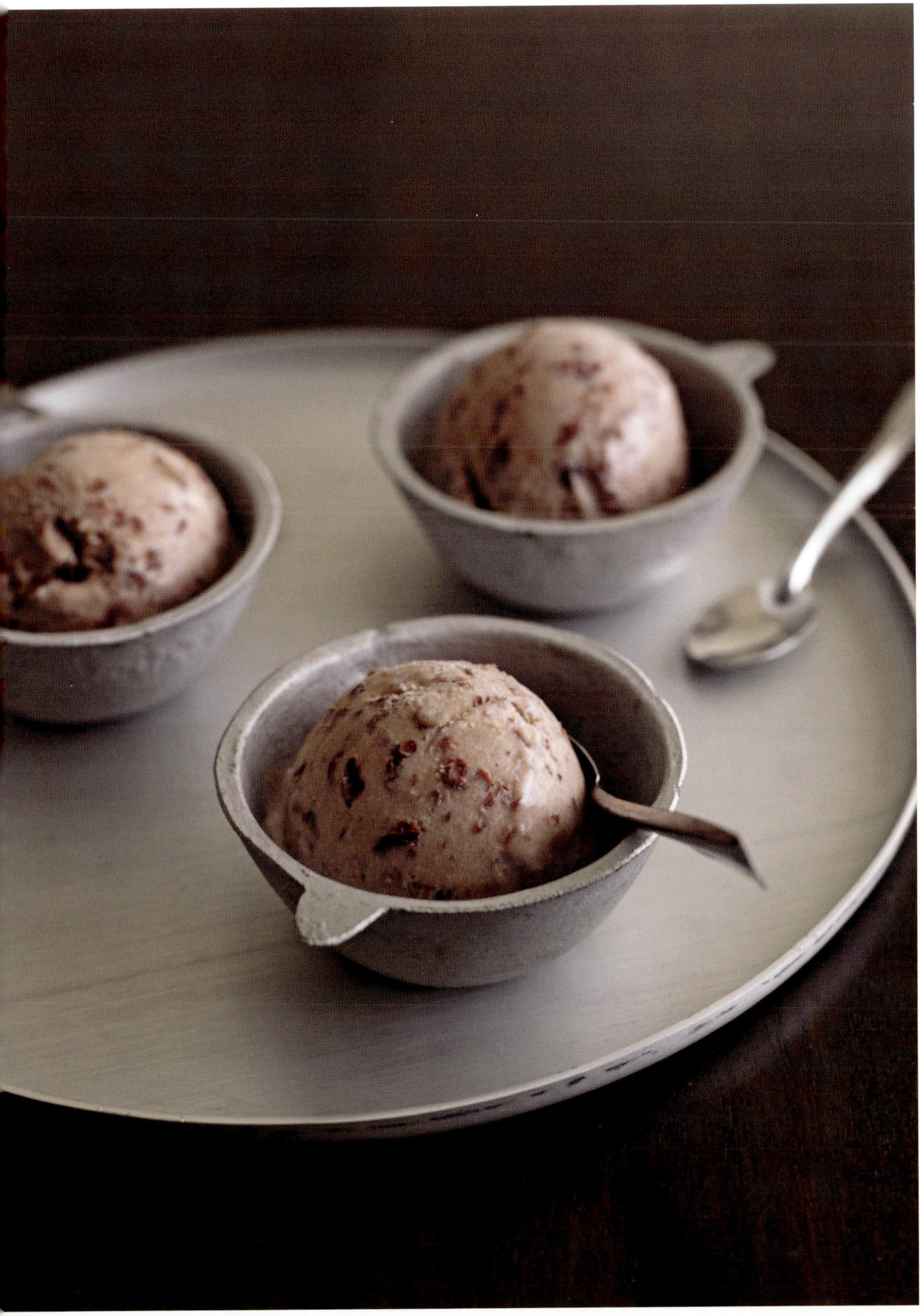

材料・作りやすい分量
プルーン —— 250g
グラニュー糖 —— 60g
オレンジ
　　—— 1cm厚さの輪切り2枚
シナモンスティック —— 1本
バニラスティック —— ½本
赤ワイン —— 2カップ

加圧時間 **6**分 ▶ 急冷

プルーンの赤ワイン煮
そのまま食べるのはもちろん、アイスクリームやヨーグルトに添えても。

1. 圧力鍋にすべての材料を入れる。
2. ふたをセットして強火にかけ、オモリが動いたら弱火にして6分加圧し、火を止めて急冷する。
3. 感圧ピンが下がったらオモリをとってふたを開け、容器に移して冷蔵庫で冷やす。
   急冷……大きめのボウルに水を張り、圧力鍋の底をつけて1分ほど冷やす。

この状態でふたをセットし、加圧する。材料を全部入れてしまうので、すごく簡単。

材料・作りやすい分量
オレンジ —— 2個
グラニュー糖 —— 300g
水 —— ½カップ
まぶし用グラニュー糖 —— 適量

加圧時間 **6** 分 ▶ 急冷

オレンジのピール
香りがよくてフレッシュ感があるのは手作りならでは。レモンでも同様に作れます。

1. オレンジは皮に塩少々（分量外）をまぶし、水洗いし、1cm厚さの輪切りにする。沸騰した湯に入れてさっとゆで、ゆでこぼす。
2. 圧力鍋に1、グラニュー糖、分量の水を入れる。ふたをセットして強火にかけ、オモリが動いたら弱火にして6分加圧し、火を止めて急冷する。
3. 感圧ピンが下がったらオモリをとってふたを開ける。
4. クーラーまたは網の上に並べ、ひと晩乾かす。
5. 全体にグラニュー糖をまぶす。
   急冷……大きめのボウルに水を張り、圧力鍋の底をつけて1分ほど冷やす。

オレンジはグラニュー糖と水で煮る。圧力鍋を使えば6分でシロップ漬けになる。

加圧時間 **3** 分 ▶ 急冷

いちごシロップ

真っ赤に熟した春のいちごで作りたい、
お楽しみレシピ！

材料・作りやすい分量
いちご ── 1パック(400g)
グラニュー糖 ── 200g

1. いちごはへたをとって圧力鍋に入れ、半量のグラニュー糖を加えて30分ほどおく。
2. 水気が出てきたら火にかけ、汁気が出てきたら弱火にし、アクをとり除く。
3. ふたをセットして強火にかけ、オモリが動いたら弱火にして3分加圧し、火を止めて急冷する。感圧ピンが下がったらオモリをとってふたを開け、残りのグラニュー糖を入れて2～3分煮、冷ます。
4. そのまま保存瓶に入れてもよいし、ガーゼを敷いたザルで漉してシロップだけを保存しても。その場合、残った果肉はジャムと同じように使用可能。

急冷……大きめのボウルに水を張り、
圧力鍋の底をつけて1分ほど冷やす。

▶ いちごシロップで

いちごソーダフロート

4～5倍に薄めてドリンクに。
欲張って、さらにいちごアイスをのせます。

材料・1人分
いちごシロップ ── 大さじ2～3
炭酸水 ── 適量
氷 ── 適量
いちごアイスクリーム ── 適量

1. グラスにいちごシロップを入れ、炭酸水を注いで氷を浮かべる。
2. いちごアイスクリームをのせ、いちごシロップ少々（分量外）をかける。

加圧時間 **5** 分 ▶ 急冷

ジンジャーシロップ

しょうがの香りとエッセンスがたっぷり入った、大人のレシピ。

材料・作りやすい分量
しょうが —— 200g
黒粒こしょう —— 15粒
水 —— 1カップ
レモンの薄切り —— 1個分
グラニュー糖 —— 400g
クローブ —— 10個

1. しょうがは皮つきのまま太めのせん切りにする。黒粒こしょうは軽くつぶす。
2. 圧力鍋に、グラニュー糖の半量を残してすべての材料を入れ、ふたをセットする。強火にかけ、オモリが動いたら弱火にして5分加圧し、火を止めて急冷する。
3. 感圧ピンが下がったらオモリをとってふたを開け、残りのグラニュー糖を加えて3〜4分煮、冷ます。
4. そのまま保存瓶に入れる。

　　急冷……大きめのボウルに水を張り、圧力鍋の底をつけて1分ほど冷やす。

▶ ジンジャーシロップで

ジンジャーエール

しょうがの風味とスパイシーな香りはやみつき。体もすっきり！

材料・1人分
ジンジャーシロップ —— 大さじ2〜3
炭酸水 —— 適量
氷 —— 適量

1. グラスにジンジャーシロップを入れ、炭酸水を注いで氷を浮かべる。

坂田阿希子 ► sakata akiko

料理研究家のアシスタント、フランス菓子店やフランス料理店での経験を重ね、独立。現在、料理教室「studio SPOON」を主宰し、ジャンルを超えた、簡単でおいしく作れるメニューが好評。とにかく作るのも食べるのも大好き！ 国内外を問わず、常に新しいおいしさを模索。スピリットを感じる料理にファンも多い。著者に『覚えたい！傑作サラダ』（講談社）、『はじめてのキッシュとタルト』（永岡書店）、『バナナのお菓子』（家の光協会）などがある。
studio SPOON　http://acco2000.cool.ne.jp/

協力	北陸アルミニウム株式会社　HOKUA DESIGN　EGGFORM 圧力鍋
アートディレクション	昭原修三
デザイン	植田光子（昭原デザインオフィス）
撮影	広瀬貴子
スタイリング	久保原恵理
構成・編集	松原京子
プリンティングディレクター	十文字義美（凸版印刷）
プロデュース	高橋インターナショナル

圧力鍋で、すぐにおかず、ちゃんとごはん

著　者　坂田阿希子
発行者　高橋秀雄
印刷所　凸版印刷
発行所　高橋書店　〒112-0013 東京都文京区音羽1-26-1
　　　　編集　TEL 03-3943-4529／FAX 03-3943-4047
　　　　販売　TEL 03-3943-4525／FAX 03-3943-6591
　　　　振替　00110-0-350650
　　　　http://www.takahashishoten.co.jp

ISBN978-4-471-40038-5　Ⓒ SAKATA Akiko　Printed in Japan
定価はカバーに表示してあります。本書の内容を許可なく転載することを禁じます。造本には細心の注意を払っておりますが万一、本書にページの順序間違い・抜けなど物理的欠陥があった場合は、不良事実を確認後お取り替えいたします。下記までご連絡のうえ、小社へご返送ください。ただし、古書店等で購入・入手された商品の交換には一切応じられません。
※本書の問合せ…内容・不良品／TEL 03-3943-4529（編集部）、在庫・ご注文／TEL 03-3943-4525（販売部）
土日・祝日・年末年始を除く平日9：00～17：30にお願いいたします。